# JOYCE MEYER

# Campo de Batalha da mente

Vencendo a batalha em sua mente

## Guia de Estudos

Baseado no *Best-seller* com mais de 3 milhões de cópias vendidas

1ª Edi

Edição publicada mediante acordo com Faith Words, New York, New York. Todos os direitos reservados.

**Diretor**
Lester Bello

**Autora**
Joyce Meyer

**Título Original**
Battlefield of the Mind – Study Guide

**Tradução**
Celia Regina Chazanas Clavello

**Revisão**
Tucha

**Editoração eletrônica**
Eduardo Costa de Queiroz

**Design capa (Adaptação)**
Fernando Duarte
Ronald Machado

**Impressão e Acabamento**
Promove Artes Gráficas

Rua Vera Lucia Pereira, 122
Bairro Goiânia, CEP 31.950-060
Belo Horizonte/MG - Brasil
contato@belloeditora.com
www.belloeditora.com

© 1995 Joyce Meyer
Copyright desta edição: FaithWords

Publicado pela Bello Com. e
Publicações Ltda-ME. com devida
autorização de FaithWords,
New York, New York.

Todos os direitos autorais
desta obra estão reservados.

1ª Edição - Maio 2007
Reimpressão - Abril 2015

---

M612    Meyer, Joyce, 1943.
    Campo de batalha da mente: guia de estudos/Joyce Mayer; tradução de Célia
Regina Chazanas Clavello. – Belo Horizonte: Ministérios Joyce Meyer, 2015.

128 p.
Título original: Battlefield of the mind – study guide
ISBN: 978-85-61721-21-3

1. Controle da mente. 2. Pensamento positivo – Importância. I. Título.

CDD: 158.1                                                              CDU: 159

# Sumário

Parte 1: *A importância da mente* ................................. 5

    Introdução .................................. 7
1  A mente é o campo de batalha ............................. 11
2  Uma necessidade vital ................................. 14
3  Não desista! ............................. 16
4  Pouco a pouco .......................................... 18
5  Seja positivo ........................................ 20
6  Espíritos aprisionadores da mente ............................. 23
7  Pense sobre o que você está pensando ..................... 24

Parte 2: *Condições da mente* ........................................ 27

    Introdução .................................. 29
8  Quando minha mente está normal? ..................... 31
9  Uma admirável mente divagante .................... 33
10  Uma mente confusa ...................................... 35
11  Uma mente duvidosa e descrente ............................. 37
12  Uma mente ansiosa e preocupada .................... 41
13  Uma mente julgadora, crítica e desconfiada............... 44
14  Uma mente passiva ...................................... 48
15  A mente de Cristo ................................. 50

Parte 3: *Mentalidades de deserto* ................................. 57

    Introdução .................................. 59
16  Meu futuro é determinado pelo meu passado
    e pelo meu presente...................................... 61
17  Alguém faça para mim; não quero assumir  a
    responsabilidade ............................. 63

18 Por favor, torne tudo fácil, não posso aguentar
se as coisas forem muito difíceis! ................................... 66

19 Não posso evitar; simplesmente sou viciado
em resmungar, censurar e me queixar ........................ 69

20 Não me faça esperar por nada; mereço tudo
imediatamente. ............................................................. 72

21 Meu comportamento pode estar errado, mas
não é minha culpa ......................................................... 76

22 Minha vida é tão miserável; tenho pena de mim
mesmo porque minha vida é tão infeliz ...................... 79

23 Não mereço as bênçãos de Deus porque
não sou digno ................................................................ 81

24 Por que eu não deveria ser ciumento e invejoso
quando todo mundo está em melhor situação
do que eu? ..................................................................... 85

25 Vou fazer do meu jeito ou, então, não faço de
jeito nenhum ................................................................. 87

Reflexão pessoal ........................................................... 89
Oração por um relacionamento pessoal com
o Senhor ........................................................................ 91
Respostas ....................................................................... 93
Notas finais ................................................................... 117
Sobre a Autora .............................................................. 119

# Parte 1:
## *A importância da mente*

# Introdução

ABíblia torna claro que a mente é a líder ou precursora de todas as ações. Provérbios 23.7 diz: "Porque, como [uma pessoa] imagina em sua alma, assim ela é...". (Ver também Romanos 8.5.)

Se renovarmos nossa mente de acordo com a Palavra de Deus, provaremos, como Romanos 12.2 promete, "a boa, agradável e perfeita vontade de Deus" para nossa vida. Se pensarmos e permanecermos pensando de forma negativa, teremos uma vida negativa.

Deus quer que experimentemos uma vida plena. Ele enviou Jesus para dar esse tipo de vida a todos que crerem nEle e receberem tal dádiva. Satanás quer nos impedir de receber tudo o que Deus tem para nós. Porque nossas ações resultam diretamente de nossos pensamentos, a estratégia de Satanás é travar uma guerra contra nós em nossa mente ao nos bombardear com pensamentos contrários à Palavra de Deus. Ele quer nos enganar ao nos fazer crer em padrões nocivos de pensamentos falsos, ou fortalezas mentais, para que permitamos que isso influencie nossa vida e nos mantenha em escravidão.

O campo de batalha é a mente, e 2 Coríntios 10.4-5 descreve as armas de guerra que Deus deu ao homem "para destruir [e derrotar] fortalezas". Este guia de estudos descreve como usar essas armas.

## USANDO ESTE GUIA DE ESTUDOS

O propósito deste livro de exercícios é reforçar os princípios ensinados em meu livro *Campo de Batalha da Mente*. Você precisará de uma cópia do livro para trabalhar por meio dele.

Este guia foi escrito em forma de perguntas e respostas. Ao ler um capítulo de *Campo de Batalha da Mente*, bem como os versículos ali

CAMPO DE BATALHA DA MENTE – GUIA DE ESTUDOS

mencionados e, então, ao responder às perguntas do capítulo correspondente neste guia de estudos, você obterá uma compreensão mais profunda dos princípios ensinados e aprenderá mais facilmente como incorporá-los à sua vida diária.

Para usar este livro de exercícios, procure o capítulo correspondente no livro *Campo de Batalha da Mente* e leia-o. Em seguida, procure na Bíblia os versículos mencionados neste guia de estudos e leia-os também. Esse é um passo importante porque tais versículos são a base do ensino daquele capítulo em particular.

Responda às perguntas deste guia de estudos baseando-se no capítulo correspondente do livro. Uma vez que você terminar de responder às perguntas de cada capítulo, dirija-se às respostas contidas no final deste guia para checar suas próprias respostas.

1. Trabalhe num ritmo confortável. Não se apresse para terminar rapidamente. Permaneça em cada capítulo até que você tenha compreensão completa do material e como isso se relaciona com sua vida.

2. Siga esses passos em cada capítulo deste guia de estudos.

3. Use este guia de estudos para estudo individual ou em grupo. Quando usado em grupo, discuta suas respostas e aprenda como aplicar os princípios de uma forma que poderia não ter lhe ocorrido antes que você a ouvisse pela experiência de outros.

Trabalhando de forma consistente e constante por intermédio deste livro, você obterá ajuda para renovar sua mente com a Palavra de Deus. Você perceberá que seu padrão de pensamento será gradualmente transformado, e os pensamentos errados e negativos se transformarão em pensamentos conforme o padrão de Deus. Mudar sua forma de pensar o capacitará a mudar coisas em sua vida com as quais você pensava que teria de conviver para sempre.

*Introdução*

# Caminhe no abençoado plano de Deus para você

Alinhar seus pensamentos aos pensamentos de Deus é vital para vencer os pensamentos negativos de Satanás e trazer-lhe libertação e paz. Devemos conhecer a Palavra de Deus o suficiente para sermos capazes de comparar o que está em nossa mente com o que está na mente de Deus, pois, dessa forma, rejeitaremos e traremos cativos a Ele qualquer pensamento que tentar exaltar-se acima da Sua Palavra. Esse processo leva tempo.

Creio que os princípios orientados e abençoados por Deus contidos neste guia de estudos são ferramentas importantes que o ajudarão a alcançar esse alvo. Eu o encorajo a estudá-los, a meditar neles e, então, aplicar em sua vida o que você aprendeu, permitindo que o Espírito Santo ilumine os olhos do seu espírito (que é o seu coração) com a sabedoria e revelação de Deus. Quando você o fizer, creio que obterá grandes resultados, vencendo a guerra que Satanás tem travado contra sua vida e assegurando-se de suas vitórias no campo de batalha da mente.

Se você é uma dentre milhões de pessoas que sofrem de preocupação, dúvida, confusão, depressão, ira ou condenação, então está experimentando um ataque em sua mente, mas não tem de viver sua vida inteira dessa forma! Satanás oferece pensamentos errados para todos, mas você não tem de aceitar sua oferta.

Oro para que você, por intermédio deste *Guia de Estudos*, juntamente com o livro *Campo de Batalha da Mente*, estabeleça firmemente e para sempre em seu coração a necessidade de começar a pensar a respeito do que você está pensando, de forma que seus pensamentos se alinhem com os pensamentos de Deus. Essa renovação da mente é um processo que requer tempo, mas é algo digno do esforço, pois quando você começar a perceber por meio de seus pensamentos o bom plano de Deus para sua vida, logo começará a caminhar nEle.

1. Leia 2 Coríntios 10.4-5; Provérbios 23.7.

Por que nossos pensamentos são importantes?_____
_____.

2. Leia Romanos 8.5.

Como nossas ações se relacionam com nossos pensamentos?__
_____
_____.

3. Leia Romanos 12.2.

Como nossa vida será transformada se renovarmos nossa mente de acordo com a Palavra de Deus?_____
_____
_____.

4. Reveja 2 Coríntios 10.4-5

Como saberemos a diferença entre o que está em nossa mente e o que está na mente de Deus?_____
_____
_____
_____.

Capítulo

# A mente é o campo de batalha     1

No livro original, *Campo de Batalha da Mente*, leia o capítulo 1 e, em seguida, leia na Bíblia os versículos abaixo mencionados e responda às perguntas que se seguem. Quando terminar, confira suas respostas com o gabarito fornecido no final deste guia.

Ao prosseguir neste guia de exercícios, você pode estar certo de que obterá discernimento e compreensão que o ajudarão a integrar esses princípios abençoadores em sua vida diária e a vencer a batalha em sua mente!

1. Leia Efésios 6.12 e João 8.44.

   a. Como Satanás tenta nos derrotar?_____

_____

_____.

   b. Como Jesus se referiu ao diabo (João 8.44)?_____

_____.

   c. De que maneira Satanás tenta bombardear nossa mente para nos derrotar?_____

_____.

   d. Explique a frase: "Um dos pontos fortes do diabo é a paciência".

_____

_____.

2. Leia 2 Coríntios 10.4-5.

   a. O que são "fortalezas"? Como Satanás tenta construí-las em nossa mente?_____

CAMPO DE BATALHA DA MENTE – GUIA DE ESTUDOS

_____

_____.

b. Leia os exemplos das fortalezas que Maria e João enfrentaram (no texto) e dê um exemplo de uma fortaleza com a qual você tem lutado em sua vida._____

_____

_____.

c. De que forma essa fortaleza tem agido em sua mente?_

_____

_____

_____.

3. Leia João 8.31-32; Marcos 4.24.

a. Como podemos vencer as fortalezas?_____

_____

_____

_____.

b. Como devemos usar as armas da Palavra de Deus para vencer fortalezas?_____

_____

_____.

c. Por que o louvor e a oração são armas eficazes para vencer fortalezas?_____

_____

_____

_____.

*A mente é o campo de batalha*

Deus nunca perde uma batalha. Ele tem um plano definido de guerra e, se nós o seguirmos, sempre venceremos! O louvor e a adoração são realmente posições estratégicas de batalha! Tais atitudes confundem o inimigo. Quando tomarmos nossa posição, veremos a derrota dele!

4. Leia Lucas 4.18-19.

   a. De acordo com esta passagem, o que Deus prometeu com relação ao pobre, aos cativos, ao cego, ao oprimido e a outros?_____

   _____

   _____

   _____.

   b. O que poderiam João e Maria (conforme o texto) fazer para se libertarem dos seus conflitos?_____

   _____

   _____.

5. Leia 1 Coríntios 10.13

   O que esse versículo diz sobre Deus e as tentações e provações que encontramos enquanto derrubamos as fortalezas?_____

   _____

   _____

   _____.

*Capítulo*

## 2     *Uma necessidade vital*

Como no capítulo anterior, antes de responder às perguntas abaixo, primeiramente leia o capítulo correspondente no livro *Campo de Batalha da Mente* e, então, os versículos mencionados a seguir. Após completar as questões deste capítulo, confira suas respostas no final deste guia.

Para obter maior benefício deste guia de estudos, continue usando este método para cada capítulo.

1. Leia Provérbios 23.7

Esse versículo nos mostra como é importante vencermos a batalha de forma apropriada. O capítulo 2 de *Campo de Batalha da Mente* diz que os pensamentos são _____ e, de acordo com o escritor do livro de Provérbios, eles possuem _____ _____.

Explique o que significa essa declaração:_____ _____ _____.

2. Leia Romanos 8.5.

a. Qual é uma das necessidades vitais para vencermos pensamentos carnais errados e negativos e termos uma vida cristã bem-sucedida? _____ _____.

b. Se sua vida está num estado de caos por causa de anos pensando de forma errada, o que você pode fazer para endireitar isso?____ _____ _____ _____.

*Uma necessidade vital*

3. Leia Zacarias 4.6

a. Já que a determinação não é suficiente para nos libertar das fortalezas, o que mais é necessário?_____
_____
_____.

b. De que forma os pensamentos corretos são comparados aos batimentos cardíacos ou à pressão sangüínea?_____
_____
_____
_____.

4. Leia Mateus 12.33

a. Explique como a frase "uma árvore é conhecida pelo seu fruto" se relaciona com nossa vida._____
_____
_____.

b. Pode a vida de pensamentos de uma pessoa ser percebida ao observar suas atitudes diante da vida em geral? Explique.__
_____
_____
_____.

**Capítulo**

**3**

# *Não desista!*

1. Leia Gálatas 6.9.

Como você pode recuperar o território que perdeu para Satanás?

_____
_____
_____.

2. Leia Isaías 43.2.

a. O que Deus nos promete com relação às dificuldades que experimentamos?_____

_____
_____.

b. Desistir é fácil. Como podemos superar as dificuldades?_____

_____
_____.

3. Leia Deuteronômio 30.19; Provérbios 18.21.

a. Como podemos decidir o que é certo ou errado para nós todos os dias?_____

_____.

b. Como podemos evitar escolher a morte?_____

_____
_____.

4. Leia Deuteronômio 1.2,6-8.

a. Por que os israelitas demoraram quarenta anos para fazer uma viagem de onze dias? Como esse problema se relaciona conosco, hoje, em nossa jornada espiritual?_____

*Não desista!*

_____

_____.

b. Quando Deus disse aos israelitas "Tempo bastante haveis estado nesse monte", o que Ele realmente estava querendo dizer? O que isso está dizendo para nós hoje?_____

_____

_____

_____.

Ao renovarmos nossa mente com a Palavra de Deus, começamos a ver mudanças positivas em nossos pensamentos e em todas as outras áreas da nossa vida!

*Capítulo*

# 4                              *Pouco a pouco*

1. Leia Deuteronômio 7.22.

   a. O processo de renovação de nossa mente acontecerá _____
_____.

   b. Por que Deus disse aos israelitas que Ele eliminaria os inimigos deles dessa forma?_____
_____
_____.

   c. Quais são as "bestas" que nos consumirão se recebermos a libertação rapidamente?_____
_____
_____.

2. Leia 1 Pedro 5.10.

Por que precisamos sofrer "por certo tempo"?_____
_____
_____.

3. Leia Romanos 8.1.

   a. O que podemos aprender ao observar as tentativas de um bebê para aprender a caminhar?_____
_____
_____.

   b. Como o diabo tenta impedi-lo de renovar sua mente? O que você pode fazer para vencer as tentativas de Satanás?_____
_____
_____
_____.

*Pouco a pouco*

c. Caminhar segundo a carne é_____

_____

_____.

d. Caminhar segundo o Espírito é_____

_____

_____.

e. Quando você falha, não significa que você seja um fracasso. O que realmente isso quer dizer?_____

_____

_____.

4. Leia Salmos 42.5; Tiago 1.4; Filipenses 1.6; 2.13.

a. O que acontece com a esperança e a vitória quando nos tornamos desanimados?_____

_____

_____.

b. O que você deve fazer para vencer a condenação e o desânimo?

_____

_____

_____

_____.

*Capítulo*

## 5            *Seja positivo*

1. Leia Mateus 8.13.

   Explique o efeito dos pensamentos positivos e negativos na vida das pessoas._____
   _____
   _____.

2. Leia Romanos 8.28; 12.16.

   a. A Bíblia diz que *todas* as coisas são boas?_____
   _____
   _____.

   b. Como devemos reagir quando nossos planos não dão certo?
   _____
   _____
   _____.

3. Leia 2 Coríntios 5.17

   Muitos de nós temos coisas ruins ocorrendo em nossa vida, coisas que nos levam a nos sentir negativos sobre o futuro. De acordo com esse versículo, como deveríamos reagir em tais situações?
   _____
   _____
   _____.

4. Leia João 16.7-8; Filipenses 1.6.

   a. Por que Jesus disse que era "proveitoso" para nós que Ele partisse?
   _____
   _____
   _____.

*Seja positivo*

b. O que Jesus ensina que o Espírito Santo fará por nós?

_____

_____.

c. O que a Bíblia diz sobre a obra que Deus começou em nós?

_____

_____.

Você pode não ser capaz de resistir ao pecado de falar negativamente, mas, quando o fizer, peça a Deus que o ajude. Falar negativamente sobre si mesmo impedirá as boas coisas que Deus tem para sua vida.

5. Leia Atos 17.11.

Como podemos alcançar equilíbrio em nossos pensamentos?

_____

_____

_____.

6. Leia Romanos 4.18-20; Hebreus 6.19.

a. Ser positivo não significa ignorarmos as coisas óbvias. Como lidamos com as situações impossíveis sem perder a esperança?

_____

_____.

b. Qual é a âncora da alma? Como ela pode nos ajudar?_____

_____

_____.

7. Leia Isaías 30.18; Provérbios 15.15.

a. Qual é o desejo de Deus para nós refletido nessas passagens bíblicas? O que precisamos para receber a vontade de Deus para nossa vida?_____

_____

_____.

b. O que são "maus pressentimentos"? Como devemos lidar com eles?_____

_____

_____.

8. Leia 1 Pedro 3.10

O que esse versículo diz que devemos fazer se desejamos desfrutar a vida e ver dias felizes?_____

_____

_____

_____.

# Espíritos aprisionadores da mente

Capítulo
**6**

1. Leia Filipenses 4.6-7.

   Como experimentamos a paz de Deus?_____
   
   _____
   
   _____
   
   _____
   
   _____.

2. Leia João 8.31-32; Salmos 107.20.

   Como vencemos os "espíritos aprisionadores da mente"?___
   
   _____
   
   _____
   
   _____.

3. Leia Romanos 8.26; Tiago 1.2-8;

   a. Como cristãos, por que devemos decidir acreditar? Como podemos crer durante momentos em que nossa mente não compreende tudo o que está ocorrendo?_____
   
   _____
   
   _____.

   b. O que devemos fazer quando enfrentamos provações?___
   
   _____
   
   _____
   
   _____
   
   _____.

| Capítulo | *Pense sobre o que você* |
|---|---|
| 7 | *está pensando* |

1. Leia Salmos 119.15; Salmos 1.3.

   Sobre o que devemos passar nosso tempo pensando e meditando? Como isso nos beneficiará?_____

   _____

   _____.

2. Leia Marcos 4.24.

   a. Diga o que significa esta declaração: "Quanto mais tempo gastarmos pensando na Palavra que lemos e ouvimos, mais poder e habilidade teremos para praticá-la e mais revelação teremos sobre o que temos lido e ouvido"._____

   _____

   _____.

   b. Por que a maioria dos cristãos não está vivendo vida vitoriosa?

   _____

   _____

   _____.

3. Leia Salmos 1.1-2; Provérbios 4.20.

   a. Como devemos proceder em relação à Palavra de Deus?

   _____

   _____.

   b. Como o ditado "A prática produz perfeição" se relaciona ao cristianismo?_____

   _____

   _____

   _____.

*Pense sobre o que você está pensando*

4. Leia Josué 1.8.

   a. Se você quiser ser bem-sucedido e próspero em tudo que fizer, a Bíblia diz que você precisa_____

_____

_____.

   b. Como o diabo controla a vida das pessoas?_____

_____

_____.

5. Leia Efésios 2.3.

   a. O apóstolo Paulo nos adverte que não devemos ser governados pela_____

ou obedecer aos_____

_____

_____.

   b. Por que devemos pensar sobre o que estamos pensando?__

_____

_____.

6. Leia Salmos 48.9; Salmos 143.4-5.

   a. Qual foi a resposta do rei Davi ao seu sentimento de depressão e tristeza?_____

_____

_____

_____.

   b. Qual o papel que nossa mente desempenha em nossa vitória?_____

_____

_____.

# CAMPO DE BATALHA DA MENTE – GUIA DE ESTUDOS

7. Leia Romanos 12.2.

a. Por que a renovação da nossa mente é tão vital?_____
_____
_____.

b. De que forma nossa mente devem ser renovadas?_____
_____
_____.

8. Leia Filipenses 4.8.

a. Por que somos instruídos a pensar em coisas boas?_____
_____
_____.

b. Como Satanás engana as pessoas quanto à fonte da sua miséria?
_____
_____
_____.

c. Como o fato de pensar sobre o que você está pensando pode ajudá-lo?_____
_____
_____.

# Parte 2:
## *Condições da mente*

# Introdução

Você já notou que a condição da sua mente muda? Em certo momento, você pode está calmo e tranqüilo, e em outro, ansioso e preocupado. Você pode tomar uma decisão e estar certo a respeito dela e pouco tempo depois descobrir que sua mente está confusa com relação àquele mesmo assunto sobre o qual anteriormente você estava tão seguro e do qual estava convicto.

Como parece que nossa mente pode estar em tantas condições diferentes, é necessário percebermos quando ela está num estado normal. Dessa forma podemos aprender a lidar com padrões de pensamentos anormais assim que ocorrerem.

Nossa mente não nasce de novo em nossa experiência do novo nascimento, mas precisa ser renovada (Romanos 12.2). Satanás, agressivamente, lutará contra a renovação da nossa mente, mas é vital que persistamos e continuemos a orar e a estudar nessa área até ganharmos uma vitória mensurável.

Creio que essa próxima parte do nosso *Guia de Estudos* abrirá seus olhos para padrões de pensamento normais e anormais na vida de um cristão, o que determinará uma caminhada em vitória.

1. Leia 1 Coríntios 2.16.

   a. De acordo com esse versículo, o que nós, como crentes, "possuímos" quando temos "a mente de Cristo"?_____.

   b. Cite um exemplo do tipo de mente que deveria ser considerada anormal para um crente._____.

2. Leia Romanos 12.2.

Nossa mente nasce de novo com a experiência espiritual do novo nascimento? Por quê?_____

_____

_____.

3. Leia 1 Pedro 5.7.

Nossa mente deve oscilar ou permanecer irritada, confusa, cheia de dúvida, descrença, ansiedade, preocupação ou atormentada pelo medo? Explique._____

_____

_____

_____.

# Quando minha mente está normal?

*Capítulo*
**8**

1. Leia Efésios 1.17-18.

   a. O que a frase "olhos do coração" descreve?_____
   _____.

   b. Explique este princípio: "A mente auxilia o espírito"_____
   _____.

2. Leia 1 Coríntios 2.11.

   a. Qual comparação pode ser feita entre o espírito de uma pessoa e o Espírito Santo?_____
   _____
   _____
   _____.

   b. Qual é um dos propósitos do Espírito Santo?_____
   _____
   _____.

   c. Como esse propósito do Espírito Santo se cumpre?_____
   _____
   _____.

   d. Por que o Espírito Santo opera dessa forma?_____
   _____
   _____.

   e. Por que é importante que nossa mente seja iluminada com relação ao que está acontecendo em nosso espírito?_____
   _____
   _____.

CAMPO DE BATALHA DA MENTE – GUIA DE ESTUDOS

3. Leia 1 Reis 19.11-12.

De que forma Deus nos fala na maior parte do tempo?

_____

_____.

4. Leia 1 Coríntios 14.15.

Como Paulo orava?_____

_____

_____.

5. Leia 1 Coríntios 14.13-14.

Como o fato de orar no Espírito (dom de línguas) e a interpretação das línguas ilustram o princípio da "mente auxiliando o espírito"?

_____

_____

_____.

6. Leia Isaías 26.3.

a. Por que o diabo quer sobrecarregar e extenuar sua mente ao enchê-la com todo tipo de pensamentos errados?_____

_____

_____

_____.

b. Em qual condição nossa mente deveria estar?_____

_____

_____

_____.

# Uma admirável mente divagante

**Capítulo 9**

1. Leia 1 Pedro 1.13

   a. O que a incapacidade de concentração indica?_____
   _____.

   b. Quais são algumas das causas da incapacidade de concentração?_____
   _____.

   c. Qual a diferença entre a falta de compreensão e a falta de concentração?_____
   _____
   _____.

2. Leia Eclesiastes 5.1.

   a. O que a expressão "guarda teu pé" significa? Esse é um alerta contra qual atitude?_____
   _____
   _____.

   b. Dê um exemplo pessoal de uma situação em que sua mente esteve divagante._____
   _____
   _____
   _____
   _____.

   c. Como se corrige uma mente divagante?_____
   _____
   _____.

# CAMPO DE BATALHA DA MENTE – GUIA DE ESTUDOS

3. Leia Marcos 11.23-24.

    a. O que está errado com a dúvida?_____

_____

_____

_____.

    b. Como cristãos, devemos_____, não duvidar ou questionar.

# Uma mente confusa

*Capítulo*
**10**

1. Leia Tiago 1.5-8.

   Por que atitudes questionadoras, vacilantes e confusas são indesejáveis para nós como cristãos?_____
   _____
   _____.

2. Leia Mateus 16.8.

   a. Por que uma grande porcentagem do povo de Deus está realmente confusa?_____
   _____
   _____.

   b. O que é "racionalizar"?_____
   _____.

   c. Por que não devemos nos apoiar na racionalização quando Deus nos dirige a fazer algo?_____
   _____
   _____
   _____.

3. Leia 1 Coríntios 2.14.

   a. Qual é a alternativa do cristão para a racionalização mental excessiva?_____
   _____
   _____.

   b. Dê um exemplo pessoal de uma luta entre a mente carnal e o espírito humano. _____
   _____

35

CAMPO DE BATALHA DA MENTE – GUIA DE ESTUDOS

_____

_____.

**4. Leia Tiago 1.22.**

O que devemos fazer quando Deus nos fala algo?_____

_____

_____.

**5. Leia Provérbios 3.5; Romanos 9.1.**

a. Por que a racionalização excessiva é perigosa?_____

_____

_____.

b. Quais são as três coisas de que a mente do homem gosta? O que está errado com isso?_____

_____

_____

_____.

c. Como Paulo sabia que estava fazendo a coisa certa, e não se apoiando em seu próprio raciocínio?_____

_____

_____.

**6. Leia 1 Coríntios 2.1-2.**

a. Qual era a opinião de Paulo sobre a racionalização?_____

_____

_____.

b. Por que esse é um bom exemplo para nós hoje?_____

_____

_____

_____.

# Uma mente duvidosa e descrente

*Capítulo*
**11**

1. Leia Mateus 14.31; Marcos 6.6.

   Qual é a diferença entre os efeitos da dúvida e da incredulidade?\_\_
   _____
   _____
   _____.

2. Leia 1 Reis 18.21; Romanos 12.3.

   a. Como o diabo tenta anular nossa fé?_____
   _____
   _____.

   b. Por que é tão importante conhecer a Palavra de Deus?\_\_\_\_
   _____
   _____.

3. Leia Romanos 4.18-21.

   a. Como Abraão venceu o ataque de Satanás?_____
   _____
   _____.

   b. Que ferramentas Satanás usa para tentar nos fazer abortar nossos sonhos? O que elas tentam destruir?_____
   _____
   _____.

   c. Por que Satanás nos ataca com dúvida e descrença?_____
   _____
   _____
   _____.

CAMPO DE BATALHA DA MENTE – GUIA DE ESTUDOS

d. Por que o diabo não quer que nossa mente entre em concordância com nosso espírito?_____

_____

_____.

4. Leia Mateus 14.24-32; Romanos 4.18-21; Efésios 6.14.

a. Como Pedro e Abraão agiram, nesses casos, com relação à sua fé? Em que eles foram diferentes?_____

_____

_____.

b. Como devemos agir em tempos de guerra espiritual?

_____

_____.

c. Por que Satanás traz tempestades em sua vida?_____

_____

_____.

d. Como você resiste a ele?_____

_____

_____.

5. Leia Tiago 1.5-7.

Descreva um período em sua vida em que você foi dirigido pelo seu coração ao invés de pela sua mente._____

_____

_____.

6. Leia Mateus 21.18-22; João 14.12; Romanos 12.3.

A fé é um dom de Deus; mas a dúvida é uma_____.

*Uma mente duvidosa e descrente*

Explique:_____
_____
_____.

7. Leia Mateus 17.14-20; 11.28,29.

Como a incredulidade nos afeta?_____
_____

8. Leia Hebreus 4.11.

a. De acordo com esse versículo, como crentes nós podemos entrar no_____.

b. O capítulo 4 do livro de Hebreus fala sobre o _____
_____que está disponível ao povo de Deus.

c. Como o sábado sob a Nova Aliança difere do sábado sob a Antiga Aliança?_____
_____
_____.

d. Como entrar nesse descanso espiritual?_____
_____.

e. Como podemos perder isso?_____
_____.

9. Leia Romanos 1.17; Romanos 15.13; Tiago 1.7-8; 2 Coríntios 10.5.

a. Como o justo deve viver?_____
_____
_____.

b. É impossível ter alegria e paz enquanto vivermos em
_____.

CAMPO DE BATALHA DA MENTE – GUIA DE ESTUDOS

c. De acordo com Tiago 1.7-8, o que devemos evitar para viver a vida abençoada que Deus planejou para nós?_____

_____

_____.

d. De acordo com 2 Coríntios 10.5, o que devemos fazer, então?

_____

_____

_____

_____.

# Uma mente ansiosa e preocupada

*Capítulo*
## 12

1. Leia Salmos 37.8; Gálatas 5.22; João 15.4; Mateus 6.25-34; Filipenses 4.6; 1 Pedro 5.7.

   a. O que são a ansiedade e a preocupação?_____ _____ _____.

   b. O que é paz?_____.

   c. Como receber a paz de Deus?_____ _____.

   Jesus disse: "Eu sou a videira, vós os ramos..." (João 15.5). Quanto tempo o ramo sobrevive se for cortado da videira? Quando permanecemos nEle, entramos na proteção e no descanso de Deus. A vida de permanência no Senhor é pacífica, tranqüila e frutífera. Entre nessa vida e desfrute-a enquanto Deus trabalha em seus problemas!

2. Leia Mateus 6.25; João 10.10.

   a. De acordo com esses versículos, como a vida deveria ser?_____ _____ _____.

   b. Por que Satanás nos ataca com preocupação?_____.

3. Leia Mateus 6.25-30.

   O que esse versículo nos ensina sobre a preocupação?_____ _____ _____ _____.

4. Leia Mateus 6.31; 12.34.

O inimigo sabe o que finalmente acontecerá se puder deixar coisas erradas em nossa mente?_____
_____.

5. Leia Mateus 6.32,33.

O mundo busca pelas coisas. O que devemos buscar?_____
_____.

6. Leia Mateus 6.34.

Por que não devemos desperdiçar o dia de hoje nos preocupando com o amanhã?_____
_____.

7. Leia Filipenses 4.6; Hebreus 4.12; Efésios 6.17.

A Palavra de Deus é a nossa espada. Por que devemos usá-la contra o inimigo?_____
_____
_____.

8. Leia 2 Coríntios 10.5.

Qual a arma mais eficaz que pode ser usada para vencer a guerra contra a preocupação e a ansiedade?_____
_____.

9. Leia 1 Pedro 5.6, 7.

a. Por que uma pessoa que se preocupa não é uma pessoa humilde?
_____
_____.

b. Qual deve ser nossa primeira reação em cada situação?_____
_____.

*Uma mente ansiosa e preocupada*

10. Leia 2 Crônicas 20.12,15, 17; João 14.27; Mateus 11.29; 6.34.

a. Qual deve ser nossa posição no momento de adversidade?_____
_____.

b. Não existe paz sem oposição. Explique:_____
_____

c. Como a atitude de permanecer em paz, desfrutando o descanso de Deus em meio à tempestade, traz glória a Deus?_____
_____.

11. Leia Hebreus 13.5; Salmos 37.3.

a. O que Deus nos faz saber em Hebreus 13.5? O que Ele nos promete nesse trecho?_____
_____
_____.

b. O que o Salmo 37.3 nos diz sobre a preocupação e como lidar com ela?_____
_____
_____.

| Capítulo | Uma mente julgadora, |
|---|---|
| 13 | crítica e desconfiada |

1. Leia Mateus 7.1.

    a. O que significa julgar os outros?_____
_____.

    b. Por que julgar os outros é errado?_____
_____
_____.

2. Leia Romanos 12.3.

    a. Julgamento e crítica são evidências de que tipo de problema interior?_____
_____.

    b. Qual é o a única razão que nos capacita a sermos excelentes em alguma área?_____
_____.

3. Leia Gálatas 6.1-3.

De acordo com esse versículo, qual atitude mental devemos manter interiormente?_____
_____
_____.

4. Leia Romanos 14.4.

    a. Como Deus pode nos ajudar com nossas fraquezas?_____
_____.

    b. É errado ter uma opinião mental sobre as pessoas?_____
_____
_____.

*Uma mente julgadora, crítica e desconfiada*

c. Por que é um grande problema ponderarmos a respeito de nossas próprias opiniões?_____

_____

_____.

d. Como a atitude de julgar e criticar pode ser mudada?_____

_____.

5. Leia Mateus 7.1-2; Gálatas 6.7.

Como o princípio de semear e colher se aplica à mente?__

_____

_____.

6. Leia Mateus 7.3-5.

a. Por que o diabo procura nos manter ocupados, julgando mentalmente as falhas dos outros?_____

_____.

b. Podemos mudar os outros ou a nós mesmos? Por quê?

_____

_____.

7. Leia Mateus 7.6.

Como esse versículo se aplica ao julgamento e à crítica?_____

_____

_____.

8. Leia Romanos 2.1.

a. Como podemos olhar para nós mesmos através de "lentes cor-de-rosa" mas as falhas dos outros com uma "lente de aumento"?

_____

_____.

# CAMPO DE BATALHA DA MENTE – GUIA DE ESTUDOS

b. Como uma mente julgadora é um ramo de uma mente negativa?

_____

_____.

9. Leia Provérbios 4.23.

Mencione duas coisas "impensáveis" para o crente._____

_____

_____.

10. Leia 1 Coríntios 13.7.

a. Qual é a atitude certa para uma mente crítica, julgadora e desconfiada?_____

_____.

b. O que significa ter uma atitude equilibrada?_____

_____.

11. Leia João 2.23-25; 1 Pedro 5.8; 1 Coríntios 12.10.

a. Qual era a atitude de Jesus em Seu relacionamento com os homens?

_____

_____

_____.

b. Por que precisamos de equilíbrio nos relacionamentos humanos?_____

_____

_____.

c. O que acontece quando colocamos nossa completa confiança em Deus?_____

_____

_____.

*Uma mente julgadora, crítica e desconfiada*

d. Qual é a diferença entre desconfiança e discernimento?

_____

_____.

e. O que o verdadeiro discernimento espiritual provoca?

_____

_____.

12. Leia Provérbios 16.23-24; João 10.10.

a. Qual o efeito que nossos pensamentos não expressos têm sobre nós?_____

_____

_____.

b. O que nos acontecerá quando começarmos a operar conforme a mente de Cristo?_____

_____

_____.

*Capítulo*

# 14       *Uma mente passiva*

1. Leia Oséias 4.6; 1Pedro 5.8; 2 Timóteo 1.6.

   a. O que é "passividade" e por que esse é um problema perigoso?

   _____

   _____.

   b. Por que o diabo usa a passividade?_____

   _____

   _____.

   c. Como o crente pode garantir que o inimigo não vencerá a guerra?_____

   _____

   _____.

2. Leia Efésios 4.27; Lucas 11.24-26.

   a. Por que é perigoso dar a Satanás o "espaço vazio" de nossa mente?_____

   _____.

   b. Por que nem sempre lançar fora conceitos errados funciona?

   _____

   _____.

3. Leia Romanos 12.2; João 15.4, 10; Mateus 5.27-28.

   a. Explique o princípio dinâmico "a ação correta segue o pensamento correto"._____

   _____

   _____

   _____.

*Uma mente passiva*

b. O fruto vem como resultado de quê?_____

_____

_____.

c. O que isso envolve?_____

_____

_____

_____.

d. O que uma pessoa deve fazer para sair de um comportamento errado para um comportamento correto?_____

_____

_____.

e. Por que é perigoso "brincar com o pecado" na mente?_____

_____

_____

_____.

4. Leia Colossenses 3.1,2.

Explique a frase: "Você deve ter força de caráter e não apenas força de desejo"._____

_____

_____

_____.

*Capítulo*
# 15           *A mente de Cristo*

1. Leia 1 Coríntios 2.16.

   De acordo com esse versículo, por que é possível pensarmos da mesma maneira que Jesus?_____
   _____.

2. Leia Ezequiel 36.26-27; Romanos 8.6; Amós 3.3.

   a. Por que Deus nos deu o Seu Espírito – uma nova natureza, um novo coração e mente – juntamente com o novo nascimento?
   _____
   _____.

   b. Qual é o resultado de seguir a mente da carne? Qual é o resultado de seguir a mente do Espírito?_____
   _____.

   c. Qual é a primeira coisa que devemos fazer para fluir na mente de Cristo?_____
   _____
   _____.

   d. Que tipo de atitude Jesus demonstrava? _____
   _____.

   e. A mente de Cristo em nós é positiva; portanto, sempre que nos tornamos negativos, _____
   _____.

   f. Qual é a definição para a palavra "depressão" no dicionário? Como tal palavra se aplica a nós?_____
   _____.

*A mente de Cristo*

3. Leia Salmos 143.3-10.

a. Quais são os oito passos que devemos tomar para vencer a depressão?_____

_____

_____

_____

_____

_____

_____

_____.

b. Faça a descrição de alguém que esteja deprimido._____

_____.

4. Leia 2 Coríntios 10.4-5; Isaías 26.3.

a. Por que Satanás usa a depressão?_____

_____.

b. De onde vem os sentimentos negativos?_____

_____.

c. Qual é a segunda coisa que devemos fazer para fluir na mente de Cristo?_____

_____

_____.

5. Leia Salmos 63.5-6; 77.12; 119.15; 143.5; 17.15.

a. Se você quiser experimentar a vitória, o que será necessário fazer de forma constante com sua vida de pensamentos?_____

_____.

# CAMPO DE BATALHA DA MENTE – GUIA DE ESTUDOS

b. Qual é o benefício de relacionar-se com Deus logo pela manhã?

_____

_____ .

6. Leia João 16.7; Mateus 28.20; Hebreus 13.5; 1 João 4.16.

a. Nada está mais próximo de nós do que _____

_____

_____ .

b. Já que Deus está sempre conosco, como nos tornamos conscientes de Sua presença?_____

_____

_____ .

c. Qual é a terceira coisa que devemos fazer para fluir na mente de Cristo? _____

_____

_____ .

7. Reveja 1 João 4.16; e leia Romanos 8.35-37.

a. Como experimentamos o amor de Deus por nós?_____

_____

_____ .

b. Qual é o resultado de meditar e confessar Romanos 8.35-37?

_____

_____

_____ .

8. Leia 1 João 4.18; Romanos 5.8.

Qual é o resultado de pensamentos baseados na retidão?

_____

_____ .

*A mente de Cristo*

9. Leia 2 Coríntios 5.21; Romanos 12.8.

    a. Por que devemos evitar pensar a respeito da culpa e da condenação?_____

_____.

    b. O que devemos fazer em vez de nos sentirmos culpados e condenados?_____

_____.

    c. Qual é a quarta coisa que devemos fazer para fluir na mente de Cristo?_____

_____.

10. Leia Romanos 12.8; Efésios 4.29; 1 Coríntios 13.7; Salmos 100.4.

    a. Com base no dom da exortação mencionado em Romanos 12.8, o que é exortação?_____

_____

_____.

    b. O que acontece quando começamos a pensar de forma amorosa sobre os outros?_____

_____

_____.

    c. Por que muitas pessoas nunca vêem as respostas de suas orações?

_____

_____

_____.

    d. Qual é quinta coisa que devemos fazer para fluir na mente de Cristo?_____

_____

_____.

# CAMPO DE BATALHA DA MENTE – GUIA DE ESTUDOS

11. Reveja Salmos 100.4.

Qual é um dos sinais de que uma pessoa está fluindo na mente de Cristo?_____

_____

_____.

12. Leia Hebreus 13.15; Salmos 34.1.

a. Como podemos ser uma bênção para o Senhor?_____

_____

_____.

b. Por que expressar a apreciação é tão benéfico?_____

_____

_____.

13. Leia Efésios 5.18-20; João 5.38.

a. Como podemos deixar o Espírito Santo continuamente nos encher e estimular?_____

_____

_____

_____.

b. Qual é a sexta coisa que devemos fazer para fluir na mente de Cristo?_____

_____

_____.

14. Reveja João 5.38.

a. De acordo com esse versículo, o que é a Palavra de Deus?_____

_____

_____

_____.

*A mente de Cristo*

b. Por que ela nos foi dada?_____
_____.

c. Como ela se cumpre?_____
_____.

15. Leia Josué 1.8; Salmos 1.2-3.

Como podemos colocar a Palavra de Deus em prática fisicamente?
_____
_____
_____.

16. Leia Provérbios 4. 20-22.

As palavras do Senhor são uma fonte de _____
e _____ para o corpo.

17. Leia Marcos 4.24.

Como o princípio de semear e colher se aplica a esse versículo?
_____
_____
_____.

18. Leia Marcos 4.22.

De onde vem o poder para praticar a Palavra de Deus?_____
_____
_____
_____.

19. Leia Tiago 1.21.

Como a Palavra de Deus pode ser implantada e enraizada em nosso
coração?_____
_____.

20. Leia Romanos 8.6; Filipenses 4.8; 2 Coríntios 10.5.

O que você conquista ao continuamente "vigiar" seus pensamentos?

_____

_____

_____

_____.

# Parte 3:
## *Mentalidades de deserto*

# Introdução

Os filhos de Israel gastaram quarenta anos no deserto fazendo uma viagem que deveria durar onze dias porque eles tinham uma "mentalidade do deserto". Realmente não devemos olhar para os israelitas com espanto, porque a maioria de nós faz a mesma coisa que eles fizeram. Permanecemos rodeando a mesma montanha vez após vez, em vez de progredir. O resultado é que isso nos leva a passar anos sem experimentar a vitória sobre algo que poderia e deveria ter sido lidado rapidamente.

Uma mentalidade do deserto é um padrão de pensamento incorreto. Podemos ter padrões certos ou errados. Os padrões corretos nos beneficiam e os padrões errados nos machucam e impedem nosso progresso.

Colossenses 3.2 nos ensina onde estabelecer nossa mente e mantê-las. Precisamos manter nossa mente na direção certa porque os padrões incorretos não somente afetam nossas circunstâncias, mas também nossa vida interior.

1. Leia Deuteronômio 1.2.

   Por que uma jornada que deveria durar onze dias para os filhos de Israel estendeu-se por quarenta anos?_____
   _____
   _____.

2. Leia Deuteronômio 1.6.

   a. De que maneira somos parecidos com os israelitas?_____
   _____
   _____
   _____.

# CAMPO DE BATALHA DA MENTE – GUIA DE ESTUDOS

b. O que Deus está nos dizendo hoje que Ele também disse aos filhos de Israel em Seus dias?_____

_____

_____.

3. Leia Colossenses 3.2.

a. O que é uma mentalidade de deserto?_____

_____

_____.

b. O que devemos fazer para evitar ter uma mentalidade de deserto?

_____

_____

_____.

c. Por que precisamos que nossa mente seja fixada na direção certa?

_____

_____

_____.

# Meu futuro é determinado pelo meu passado e pelo meu presente

*Mentalidade de deserto # 1*

*Capítulo*

**16**

1. Leia Provérbios 29.18.

   Qual era o problema dos israelitas?_____

   _____

   _____

   _____.

2. Leia Lucas 4.18-19.

   Ao enfrentar situações tão ruins que lhe parecem não haver qualquer razão para ter esperança, do que você deve se lembrar?_____

   _____

   _____.

3. Leia Isaías 11.1-3.

   Conseguimos julgar as coisas de forma adequada por meio dos nossos olhos naturais? Por quê?_____

   _____

   _____.

4. Leia Números 14.2-3.

   Qual foi a atitude dos israelitas nessa passagem?_____

   _____

   _____

   _____.

5. Leia Números 20.2-4.

   De onde vinham tais atitudes ruins?_____

   _____

   _____.

## CAMPO DE BATALHA DA MENTE – GUIA DE ESTUDOS

6. Leia Números 21.4-5.

Qual foi a outra atitude ruim dos israelitas evidenciada nessa passagem?_____

_____

_____

_____.

7. Leia Gênesis 13.7-11.

Qual foi a atitude de Abraão que lhe permitiu abençoar seu sobrinho Ló e evitar contendas?_____

_____

_____

_____.

8. Leia Gênesis 13.14-15; Romanos 4.17.

a. Qual foi o resultado da boa atitude de Abraão?_____

_____

_____

_____.

b. Ao observar a situação de Abraão, como você deve pensar e falar sobre o seu futuro?_____

_____

_____

_____.

# Alguém faça para mim; não quero assumir a responsabilidade

*Mentalidade de deserto # 2*

*Capítulo*
## 17

1. Leia Gênesis 11.31.

    a. Como a responsabilidade freqüentemente é definida?_____

    _____.

    c. O que significa ser responsável?_____

    _____.

    c. Terá (o pai de Abraão) reagiu à oportunidade que Deus colocou diante de si?_____

    _____.

    d. De que forma somos parecidos com Terá? Por que reagimos dessa maneira?_____

    _____

    _____.

2. Leia Êxodo 32.1-14,30-32.

    a. Os israelitas queriam assumir a responsabilidade por alguma coisa? Quem fazia isso no lugar deles? Como?_____

    _____

    _____

    b. Como Pai, o que Deus quer ensinar a Seus filhos?_____

    _____

    _____.

3. Leia Provérbios 6.6-11.

Por que é importante ser motivado interiormente, e não exteriormente?_____

_____

CAMPO DE BATALHA DA MENTE – GUIA DE ESTUDOS

_____

_____.

4. Leia Mateus 20.16.

Com relação à responsabilidade, a última parte desse versículo pode significar que muitos são _____

_____

_____.

5. Leia Josué 1.1-3.

Se não desejarmos assumir nossa responsabilidade e seriamente reivindicar nossa herança espiritual, qual será o resultado?_____

_____

_____.

6. Leia Eclesiastes 11.4.

a. Como o fato de enfrentar resistências ao assumir responsabilidades pode ajudá-lo?_____

_____

_____.

b. O que acontecerá se você somente fizer o que considera fácil?

_____

_____.

7. Leia Mateus 25.1-13.

De acordo com versículo 13 dessa passagem, o que precisamos fazer enquanto esperamos o retorno do Senhor?_____

_____

_____.

*Mentalidade de deserto # 2*

8. Leia Mateus 25.14-28; João 15.16.

    a. Como você deve reagir à habilidade que Deus colocou em você? Por quê?_____

_____.

    b. O que a Bíblia claramente nos mostra sobre a vontade de Deus a nosso respeito?_____

_____

9. Leia 1 Pedro 5. 6-7.

    a. O que podemos aprender sobre cuidado e responsabilidade neste capítulo?_____

_____

    b. O que você deve se lembrar quando Deus lhe dá algo que você lhe pediu?_____

_____

_____.

    c. Aquele que opera na mente de Cristo caminhará em _____, e não em _____.

    d. Resuma em duas palavras todo este capítulo: _____

_____.

| Capítulo | *Por favor, torne tudo fácil: não posso* |
|---|---|
| **18** | *agüentar se as coisas forem muito difíceis!* |
| | *Mentalidade de deserto # 3* |

1. Leia Deuteronômio 30.11.

Por que os mandamentos de Deus não são tão difíceis de cumprir?_____

_____

_____.

2. Leia João 14.16.

   a. Quando as coisas se tornam difíceis?_____

   _____

   _____.

   b. Se tudo na vida fosse fácil, qual efeito isso teria sobre nossa vida?

   _____

   _____.

   c. O Espírito Santo está em nós e conosco o tempo inteiro com qual propósito?_____

   _____

   _____

   _____.

3. Leia Êxodo 13.17; Hebreus 4.16.

   a. Se você sabe que Deus lhe pediu para fazer algo, o que deve fazer quando as coisas se tornam difíceis?_____

   _____

   _____

   _____.

*Mentalidade de deserto # 3*

b. Por que Deus levou os filhos de Israel por um caminho longo e difícil?_____
_____
_____
_____.

c. Entrar na terra da promessa significava que não haveria mais batalhas para os israelitas?_____
_____
_____
_____.

d. Por que Deus levou os filhos de Israel por uma rota mais longa e dura, embora houvesse um caminho mais fácil e curto?
_____
_____
_____.

4. Leia Gálatas 6.9; Lucas 4.1-13.

a. Por que é importante que não tenhamos uma atitude de desistência, desânimo, fraqueza e derrota?_____
_____
_____.

b. Em que a atitude de Jesus nos Seus quarenta dias de jejum no deserto foi diferente da jornada de quarenta anos dos israelitas no deserto?_____
_____
_____.

5. Leia 1 Pedro 4.1-2.

Qual segredo essa passagem nos ensina sobre como agir diante das circunstâncias e dos tempos difíceis?_____

# CAMPO DE BATALHA DA MENTE – GUIA DE ESTUDOS

6. Leia Filipenses 4.12-13.

a. O que os pensamentos certos fazem por nós?_____

_____

_____.

b. Se você é uma pessoa queixosa e murmuradora, o que deve fazer?_____

_____

_____

_____.

# Não posso evitar; simplesmente sou viciado em resmungar, censurar e me queixar
*Mentalidade de deserto # 4*

*Capítulo*
**19**

1. Leia 1 Pedro 2.19-20.

   Não é o sofrimento que glorifica a Deus, mas_____
   _____.

2. Leia 1 Pedro 2.21-23.

   Como Jesus enfrentou o sofrimento?_____
   _____
   _____
   _____.

3. Leia Efésios 4.1-2.

   Para muitas pessoas no mundo que estão tentando encontrar a Deus, o que é mais importante do que aquilo que lhes dizemos?_____
   _____
   _____
   _____.

4. Leia Salmos 105.17-19; Gênesis 39-50.

   Por que Deus finalmente pôde libertar e promover José que tinha sido maltratado por seus irmãos e injustamente condenado à prisão?_____
   _____
   _____.

5. Leia 1 Coríntios 10.9-11.

   a. Em que José agiu de forma diferente dos israelitas?_____
   _____
   _____.

CAMPO DE BATALHA DA MENTE – GUIA DE ESTUDOS

b. Qual é a mensagem dessas passagens das Escrituras?_____
_____
_____.

c. Qual foi a diferença na atitude dos israelitas e de Jesus, nosso exemplo?_____
_____
_____.

d. O que podemos ver nesse contraste?_____
_____
_____.

6. Leia Filipenses 2.14-15.

De acordo com esse versículo, por que devemos fazer todas as coisas sem murmurar, lamentar e reclamar?_____
_____
_____
_____.

7. Leia Filipenses 4.6.

a. O que Paulo nos ensina nesse versículo sobre como resolver nossos problemas?_____
_____
_____
_____.

b. Quando, geralmente, murmuramos, lamentamos e reclamamos?
_____
_____
_____
_____.

*Mentalidade de deserto # 4*

c. O que a Palavra de Deus ensina a fazer durante esses momentos?

_____

_____

_____.

d. A paciência não é a habilidade de esperar, mas_____

_____

_____.

e. Como você pode vencer a murmuração?_____

_____

_____

_____.

**Capítulo 20**

## Não me faça esperar por nada; mereço tudo imediatamente
*Mentalidade de deserto # 5*

1. Leia Tiago 5.7.

   a. A impaciência é o fruto do _____.

   b. Por que devemos aprender a ser pacientes enquanto esperamos?

   _____

   _____

   _____.

   c. Qual lição precisamos aprender sobre a jornada da nossa vida?

   _____

   _____

   _____.

2. Leia Romanos 12.3.

   a. Por que o orgulho impede a atitude certa ao esperar?_____

   _____

   _____

   _____.

   b. Uma pessoa humilde não demonstrará _____

   _____

   _____.

3. Leia João 16.33

   a. Se pensarmos que tudo que diz respeito a nós, nossas circunstâncias e relacionamentos sempre devem ser perfeitos, o que acontecerá conosco? Como podemos fazer essa declaração de outra forma?

   _____

   _____

   _____.

*Mentalidade de deserto # 5*

b. Todos os infortúnios do mundo não poderão nos perturbar se nós _____

_____

_____.

4. Leia Colossenses 3.12.

a. Como a paciência é descrita nesse versículo?_____

_____

_____.

b. Por que devemos retornar a esse versículo freqüentemente?

_____

_____

_____.

5. Leia Tiago 1.2-4; Gálatas 5.22.

a. A paciência é o fruto do _____

_____.

b. De acordo com o versículo de Tiago 1.2-4, qual é o método que Deus utiliza para gerar paciência em nós?_____

_____.

6. Leia Números 21.4.

a. De acordo com esse versículo, por que os israelitas se tornaram impacientes, deprimidos e desencorajados?_____

_____

_____.

b. O que acontecerá se você aprender a responder pacientemente em todos os tipos de provação?_____

_____

_____.

# CAMPO DE BATALHA DA MENTE – GUIA DE ESTUDOS

7. Hebreus 10.36; 6.12.

a. Hebreus 10.36 nos diz que sem _____
   e _____ não receberemos as promessas de Deus.

b. Hebreus 6.12 nos diz que é somente por meio da _____
   _____e da _____ que herdamos as promessas.

8. Leia Provérbios 16.25; João 6.63; Romanos 13.14.

a. Por que há multidões de cristãos infelizes e vazios no mundo?

   _____
   _____
   _____.

b. Quando você está tentando esperar em Deus, por que o diabo
   atormentará constantemente sua mente exigindo que você "faça
   alguma coisa"?_____
   _____.

c. A impaciência é sinal de orgulho, e a única resposta ao orgulho
   é a _____
   _____.

9. Leia 1 Pedro 5.6.

a. O que a frase "diminui-vos em vosso próprio conceito" (1 Pedro
   5.6 – Amplificada) significa?_____
   _____
   _____.

b. O que acontece quando esperamos em Deus e nos recusamos a
   agir de acordo com a carne?_____
   _____
   _____
   _____.

*Mentalidade de deserto # 5*

c. O que você deveria fazer quando é tentado a se tornar frustrado e impaciente?_____

_____

_____

_____

_____ .

| Capítulo | *Meu comportamento pode estar errado, mas não é minha culpa* |
|---|---|
| **21** | *Mentalidade de deserto # 6* |

1. Leia Gênesis 3. 12-13.

Cite uma grande razão para alguém permanecer no deserto._____

_____

_____.

2. Leia Gênesis 16.1-6.

a. Dê um exemplo pessoal em que você culpou outras pessoas.

_____

_____.

b. Por que Satanás trabalha tão arduamente em nossa mente edificando fortalezas que nos impedem de enfrentar a verdade?

_____

_____.

c. Por que evitamos enfrentar a verdade sobre nós mesmos e sobre nosso comportamento?_____

_____

_____.

3. Leia Números 21.5.

Você já esteve ao redor da mesma montanha, vez após vez, em sua vida? Quais eram suas desculpas?_____

_____.

4. Leia Números 13.1-3, 25-28.

a. Quem planta os "ses" e os "mas" em nossa mente? Como devemos derrotar essa tática?_____

*Mentalidade de deserto # 6*

_____

_____.

b. Cite uma razão pela qual nossos problemas freqüentemente nos derrotam. _____

_____.

5. Leia Salmos 51.1-6.

O que o versículo 6 quer dizer quando afirma que Deus deseja a verdade "no íntimo"?_____

_____

_____.

6. Leia 1 João 1.8-10; Romanos 3.20-24.

a. O que devemos fazer para nos arrepender verdadeiramente? _____

_____.

b. Onde a nossa justificação é encontrada?_____

_____

_____.

c. Como nos tornamos justos diante de Deus ao pecarmos? _____

_____

_____.

7. Leia João 1.1-5; 8.32

a. Qual é uma das mais poderosas armas contra o reino das trevas? Por quê?_____

_____

_____

_____.

# CAMPO DE BATALHA DA MENTE – GUIA DE ESTUDOS

b. Jesus disse que a verdade nos libertará. Como a verdade é revelada?

_____

_____.

8. Leia João 16.12-13; Hebreus 13.5 .

a. Quem é "o Espírito da verdade"?_____

_____

_____.

b. Qual é a maior função do ministério de Deus para nós? Por quê?

_____

_____

_____.

c. O que Deus lhe prometeu para ajudá-lo a permanecer na verdade sobre si mesmo?_____

_____

_____.

d. O que você deve fazer agora que está em seu caminho de saída do deserto?_____

_____

_____.

# Minha vida é tão miserável; tenho pena de mim mesmo porque minha vida é tão infeliz

*Mentalidade de deserto # 7*

*Capítulo*
**22**

1. Leia Números 14.1-2.

    a. Como os israelitas reagiram à situação em que estavam?_____
_____
_____.

    b. O que Deus me falou sobre tais "festas de autopiedade"?_____
_____
_____.

    c. O que é vitalmente importante compreender sobre esse assunto?
_____
_____
_____.

2. Leia 1 Tessalonicenses 5.11.

    a. O que o diabo faz no momento em que alguém nos machuca ou quando experimentamos um desapontamento?_____
_____
_____.

    b. O que acontecerá se você atentar aos pensamentos que correm em sua mente durante tais momentos?_____
_____
_____.

    c. Por que a autopiedade é uma deturpação?_____
_____
_____
_____.

CAMPO DE BATALHA DA MENTE – GUIA DE ESTUDOS

d. O que acontece quando utilizamos o amor de Deus que deveria ser distribuído a outros e o tomamos para nós mesmos?_____
_____
_____.

e. O que é a autopiedade? Por que essa é uma atitude errada?_____
_____
_____.

3. Leia Filipenses 2.4.

a. Como saímos da autopiedade?_____
_____
_____.

b. Como a autopiedade é alimentada?_____
_____
_____.

c. Por que a autopiedade é uma grande armadilha?_____
_____
_____.

d. Qual é o privilégio especial que um cristão tem quando experimenta um desapontamento?_____
_____
_____.

4. Leia Isaías 43.18-19.

Se você sente que suas emoções começam a perturbá-lo, o que deve fazer?_____
_____
_____
_____.

# Não mereço as bênçãos de Deus
## porque não sou digno
*Mentalidade de deserto # 8*

*Capítulo*
**23**

1. Leia Josué 5.9; Romanos 8.17.

   a. Deus disse a Josué que havia "removido" o opróbrio do Egito do Seu povo. O que significa a palavra "opróbrio"?_____
   _____.

   b. Deus quer nos dar Sua graça. O que Satanás quer nos dar?
   _____
   _____
   _____.

   c. O que significa Deus remover o opróbrio de nossa vida?
   _____
   _____
   _____.

   d. Embora saibamos que não merecemos as bênçãos de Deus, por que as recebemos assim mesmo? Como as obtemos?_____
   _____
   _____.

2. Leia Gálatas 4.7.

   a. Você é um filho ou um escravo, um herdeiro ou um servo?_____
   _____
   _____
   _____.

   b. Qual é a diferença entre um herdeiro e um servo?_____
   _____
   _____
   _____.

CAMPO DE BATALHA DA MENTE – GUIA DE ESTUDOS

c. O que a experiência com o mundo nos ensina?_____

_____

_____.

d. Qual é o resultado desse ensino?_____

_____

_____.

3. Leia Números 13.33.

a. Por causa do opróbrio, que tipo de opinião os israelitas tinham a respeito de si mesmos?_____

_____

_____.

b. Como Satanás tenta nos dar uma opinião negativa a respeito de nós mesmos?_____

_____

_____

_____

_____.

c. Como a auto-imagem negativa, a atitude de indignidade e o pensamento "Não mereço as bênçãos de Deus" são transmitidos de geração a geração?_____

_____

_____.

d. Deus deseja lhe conceder misericórdia para suas falhas se

_____.

Ele não recompensa o perfeito que não têm falhas e jamais comete erros, mas aqueles que _____

_____

_____.

*Mentalidade de deserto # 8*

4. Leia Hebreus 11.6.

   a. Sem _____ você não pode agradar a Deus.

   b. Não importam quantas _____
   você faça, isso não agradará a Deus se elas forem feitas para
   _____ o favor dEle.

5. Leia Efésios 1.4.

   De acordo com esse versículo, o que Deus deseja para nós?_____

   _____

   _____

   _____.

6. Leia Tiago 1.5; Filipenses 1. 6.

   a. O que Tiago 1.5 nos ensina?_____

   _____

   _____.

   b. Se você deseja ter uma vida vitoriosa, poderosa e positiva, não
   pode ser negativo sobre si mesmo. Em vez de ser negativo, o que
   você deve fazer?_____

   _____

   _____

   _____.

   c. Em Filipenses 1.6, o que Paulo diz a nosso respeito?_____

   _____

   _____

   _____.

# CAMPO DE BATALHA DA MENTE – GUIA DE ESTUDOS

d. Após ler este capítulo, como você deveria pensar e falar a respeito de si mesmo?

# Por que eu não deveria ser ciumento e invejoso quando todo mundo está em melhor situação do que eu?

Mentalidade de deserto # 9

*Capítulo*

**24**

1. Leia João 21.21-22.

Inveja, ciúme e a mentalidade de comparar-se com os outros é
_____.

2. Leia Provérbios 14.30.

a. Como a inveja leva uma pessoa se comportar?_____
_____
_____.

b. Defina *inveja* e *ciúme.*_____
_____
_____
_____.

3. Leia Lucas 22.24-26.

Por que a vida no reino de Deus, geralmente, é oposta à maneira de viver do mundo ou da carne?_____
_____
_____
_____.

4. Leia Gálatas 5.26; Provérbios 3.3-4.

a. De onde vem a promoção para o crente?_____
_____
_____.

b. Deus nos dá favor diante dEle e diante dos outros se
_____
_____.

CAMPO DE BATALHA DA MENTE – GUIA DE ESTUDOS

5. Leia 3 João 2.

a. O que você deve fazer quando reconhece padrões de pensamentos errados começando a surgir em sua mente?_____
_____
_____.

b. Por que é melhor estar pronto para qualquer embate do que ser um "meteoro"?_____
_____
_____.

c. Se você tem uma fortaleza mental há longo tempo nessa área, o que deve fazer? Por quê? Qual será o resultado?_____
_____
_____
_____.

# Vou fazer do meu jeito ou, então, não faço de jeito nenhum

*Mentalidade de deserto # 10*

**Capítulo**
**25**

1. Leia Salmos 78.7-8.

   a. Quais são os dois tipos de padrão de pensamento que os israelitas demonstraram durante seus anos no deserto e que os levou a morrer ali?_____

_____.

   b. O que Deus quer que aprendamos? Por quê?_____

_____.

   c. Como a "teimosia" e a "rebeldia" são descritas? Alguma delas descreve suas atitudes?_____

_____

_____.

   d. Por que não é suficiente alcançar certa posição e pensar: "Cheguei tão longe quanto queria"?_____

_____.

2. Leia 1 Samuel 15.22-23; Romanos 5.17; Apocalipse 1.6; Eclesiastes 12.13.

   a. Por que muitos filhos de Deus falham em "reinar em vida"?

_____

_____.

   b. Como a obediência é relacionada ao respeito e à reverência?

_____

_____.

   c. Se Salomão tinha tanta sabedoria, como pôde ter cometido tantos erros em sua vida?_____

_____.

CAMPO DE BATALHA DA MENTE – GUIA DE ESTUDOS

3. Leia Romanos 5.19.

a. Explique como sua escolha em obedecer ou desobedecer não somente afeta sua vida, mas a vida de outros._____

_____

_____

_____.

b. A obediência é uma coisa de longo alcance; ela _____

_____

_____

_____.

4. Leia 2 Coríntios 10.4-5; Isaías 55.8.

a. Nossos pensamentos nos colocam em problemas freqüentemente. O que devemos fazer para evitar esses problemas?_____

_____

_____.

b. O que você deveria fazer se aquilo que está em sua mente não está de acordo com os pensamentos de Deus (a Bíblia)?_____

_____

_____.

c. Satanás está em guerra contra nós. Qual é o campo de batalha?

_____

_____.

d. Como este livro ajudará você a vencer a guerra?_____

_____

_____

_____.

# Reflexão pessoal

1. Quais aspectos do livro *Campo de Batalha da Mente* foram mais significativos para você?_____

_____

_____

_____.

2. Ler este livro mudou algum padrão de pensamento estabelecido em sua vida?_____

_____

_____

_____.

3. Ele o ajudou em alguma área de dificuldade? Qual(is)?_____

_____

_____

_____

_____.

# Oração para um relacionamento pessoal com o Senhor

Deus quer que você receba Seu dom gratuito da salvação. Jesus quer salvar você e enchê-lo com o Espírito Santo. Se você nunca convidou Jesus, o Príncipe da Paz, para ser seu Senhor e Salvador, eu o estimulo a fazê-lo agora. Faça a seguinte oração e, se você realmente for sincero a respeito disso, experimentará uma nova vida em Cristo.

*Pai,*

*Tu amaste o mundo de tal maneira que deste Teu único Filho para morrer por nossos pecados, para que todo aquele que nEle crê não pereça, mas tenha a vida eterna.*

*Tua Palavra diz que somos salvos pela graça, por meio da fé, como um dom gratuito de Ti. Não há nada que possamos fazer para merecer a salvação.*

*Creio e confesso com minha boca que Jesus Cristo é o Teu Filho, o Salvador do mundo. Creio que Ele morreu na cruz por mim e carregou todos os meus pecados, pagando o preço por eles. Creio em meu coração que Tu ressuscitaste Jesus dentre os mortos.*

*Peço que Tu perdoes todos os meus pecados. Confesso Jesus como meu Senhor. De acordo com a Tua Palavra, sou salvo e passarei a eternidade Contigo! Obrigado(a), Pai! Eu Te agradeço! Em nome de Jesus, amém.*

Veja João 3.16; Efésios 2.8-9; Romanos 10. 9-10; 1 Coríntios 15.3-4; 1 João 1.9; 4.14-16; 5.1,12-13.

# Respostas

Respostas

# Respostas

**Parte 1: Introdução**

1. A mente é a líder ou a precursora de todas as nossas ações.

2. Nossas ações são resultam diretamente dos nossos pensamentos.

3. Nós provaremos em nossa própria experiência "a boa, agradável e perfeita vontade de Deus" para nossa vida.

4. Ao comparar o que está em nossa mente com o que está na mente de Deus, qualquer pensamento que tente se exaltar além da Palavra de Deus deve ser lançado fora e levado cativo a Jesus Cristo.

**Capítulo 1**

1a. Com estratégia e engano, mediante planos bem elaborados e engano deliberado.

1b. "[...] o pai da mentira e de tudo que é falso." (João 8.44.)

1c. Ele usa um padrão astuciosamente delineado de pensamentos sutis, suspeitas, dúvidas, medos, perguntas, questionamentos e teorias.

1d. Ele está pronto a investir todo o tempo que for necessário para nos derrotar.

2a. Áreas nas quais somos mantidos em escravidão (em prisão) em decorrência de certa forma de pensar. Mediante uma estratégia cuidadosa e engano astuto.

2b. Dê sua própria resposta.

2c. Dê sua própria resposta.

3a. Devemos ter o conhecimento da verdade de Deus em nós, renovando nossa mente com Sua Palavra e, então, usando as armas de 2 Coríntios 10.4-5 para destruir as fortalezas e toda altivez e superioridade que se levantem contra o conhecimento de Deus. Essas "armas" são a Palavra de Deus, o louvor e a oração.

3b. Ao "permanecer" (continuar) nela até que se torne uma revelação dada pela inspiração do Espírito Santo.

3c. O louvor derrota o diabo mais rapidamente do que qualquer outro plano de batalha, mas deve ser um louvor genuíno do coração, não apenas uma expressão dos lábios ou um método que está sendo experimentado para ver se funciona. O louvor e a oração envolvem a Palavra também. Louvamos a Deus de acordo com a Palavra e a bondade dEle.

4a. Deus prometeu boas novas aos pobres, libertação aos cativos, restauração de vista aos cegos, libertação dos oprimidos e aceitação, salvação e favores graciosos para todos.

4b. Ao continuarem estudando a Palavra de Deus e agindo na verdade de Sua Palavra. Também enfrentando a verdade sobre si mesmos e sobre seu passado, à medida que Deus a revelar a eles.

5. Deus não permitirá que sejamos tentados além do que podemos suportar, mas com cada tentação Ele também providenciará a saída, o escape.

## Capítulo 2

1. Nossos pensamentos são poderosos e possuem habilidade criativa. Eles afetam aquilo em que nos tornamos. Não podemos ter uma vida positiva e uma mente negativa.

2a. Ter uma mente renovada. Um pensamento em linha com o pensamento de Deus.

2b. Demolir as fortalezas que Satanás edificou em minha mente, usando as armas da Palavra, o louvor e a oração.

3a. A ajuda do Espírito Santo.

3b. Trata-se de uma necessidade vital. Não podemos viver sem isso.

4a. Pensamentos produzem frutos. Tenha bons pensamentos, e o fruto em sua vida será bom. Tenha maus pensamentos, e o fruto em sua vida será ruim.

4b. Uma pessoa doce e bondosa não tem pensamentos mesquinhos e vingativos. Da mesma forma, uma pessoa verdadeiramente má não tem pensamentos bons e amorosos.

## Capítulo 3

1. Se necessário, um passo de cada vez, sempre descansando na graça de Deus, e não em minha própria habilidade para conseguir os resultados desejados.

2a. "Quando passares pelas águas, eu serei contigo [...]; quando passares pelo fogo, não te queimarás, nem a chama arderá cm ti."

2b. Ir em frente e não desistir, sabendo que Deus nos ajuda a fazer progresso espiritual permanecendo conosco para nos fortalecer e encorajar a prosseguir em tempos difíceis.

3a. Ao renovar nossa mente para seguir o Espírito e não a carne, escolhendo propositadamente pensar o que é certo.

3b. Já que nossos pensamentos se transformam em nossas palavras, devemos escolher pensamentos geradores de vida. Quando o fazemos, as palavras corretas os seguirão, e nós escolheremos a vida.

4a. Eles tinham a "mentalidade do deserto". Podemos evitar uma mentalidade do deserto ao mantermos nossa mente renovada e aprendendo a escolher nossos pensamentos cuidadosamente.

4b. Você não desistirá, até que a vitória seja completa e você tenha tomado posse da sua herança legítima. Hoje Ele nos diz a mesma coisa.

## Capítulo 4

1a. Pouco a pouco.

1b. Para que as "as bestas do campo" não se multiplicassem contra eles.

1c. O orgulho.

2. Nós nos regozijaremos mais quando a liberdade ocorrer. Quando tentamos fazer algo por conta própria, falhamos e, então, percebemos que devemos esperar em Deus. Nosso coração flui com ações de graça e louvor quando Ele se levanta e faz o que não poderíamos fazer por nós mesmos.

3a. Quando um bebê está aprendendo a caminhar, ele cai muitas vezes antes que tenha a confiança para andar. Contudo, uma coisa a favor de um bebê é o fato de que, mesmo que ele chore um pouco depois de cair, sempre se levanta em seguida e tenta andar novamente.

3b. Por meio do desânimo e da condenação. Lembrando a Satanás e a mim mesmo que não caminho segundo a carne, mas segundo o Espírito.

3c. Depender de mim mesmo.

3d. Depender de Deus.

3e. Simplesmente significa que não faço tudo certo.

4a. O desânimo destrói a esperança. Sem esperança, desistimos, e isso é tudo que o diabo quer que façamos.

4b. Usar a arma da Palavra para destruir fortalezas. Determinadamente ter os pensamentos certos, caminhar uma milha extra e expressar em voz alta minha confissão. Recusar-me a me sentir desanimado e condenado se cometer um erro. Ser paciente comigo mesmo!

## Capítulo 5

1. Pensamentos positivos, cheios de fé e esperança produzem vidas positivas. Pensamentos negativos, cheio de medo e dúvida, produzem vidas negativas.

2a. Não, mas que todas as coisas "cooperam para o bem daqueles que amam a Deus e são chamados de acordo com Seu desígnio e propósito".

2b. Nós não podemos desmoronar, mas devemos ser prontamente adaptáveis e ajustáveis.

3. Não devemos permitir que as coisas velhas que nos aconteceram continuem afetando nossa nova vida em Cristo.

4a. Se Jesus não partisse, o Espírito Santo, o Consolador, não viria.

4b. O Espírito Santo nos convencerá do pecado, da justiça e do juízo.

4c. Ele é capaz de completar a obra que começou em nós.

5. Ao termos uma mente pronta, aberta à vontade de Deus para nós, seja qual for essa vontade.

6a. Percebendo que não importa quão negativas as circunstâncias possam ser, Deus é capaz de vencê-las.

6b. Esperança. Isso nos mantém firmes em tempos de provação.

7a. Deus quer ser gracioso conosco mostrando-nos misericórdia e bondade. Devemos esperar por isso.

7b. Pensamentos cheios de ansiedade e aflição. Lidamos com isso ao ter um "coração alegre, satisfeito".

8. Refrear nossa língua do mal e evitar que nossos lábios falem dolosamente (traiçoeira e enganosamente).

## Capítulo 6

1. Ao fazer o que Filipenses 4.6-7 diz, não andando ansiosos com coisa alguma, em tudo, porém tornando conhecidas diante de Deus nossas petições, pela oração e pela súplica, com ações de graça, para que a paz de Deus, que excede todo o entendimento, guarde nosso coração e nossa mente em Cristo Jesus.

2. Ao permanecermos na Palavra de Deus, a qual é a verdade que nos liberta. Sua Palavra nos sarará e nos livrará do que nos é mortal (do poço de destruição).

3a. Deus, freqüentemente, nos dá fé para coisas que nossa mente nem sempre pode compreender ou concordar, e assim devemos decidir acreditar. Ao orarmos no nome de Jesus e pelo poder do Seu sangue, confrontando os "espíritos aprisionadores da mente".

3b. Pedir a Deus sabedoria, e Ele nos mostrará o que fazer.

## Capítulo 7

1. Nos preceitos de Deus, Suas instruções e Seus ensinamentos. Prosperaremos e amadurecemos.

2a. Obteremos da Palavra de Deus aquilo que investirmos nela.

2b. Eles não estudam a Palavra de Deus profundamente. Como resultado, ficam confusos porque não vivem uma vida cristã poderosa e vitoriosa.

3a. Ao meditar nela, refletindo, estudando-a, repetindo-a e pensando a respeito dela.

3b. Realmente não seremos especialistas em algo na vida sem muita prática, portanto, por que esperamos que seja diferente com relação ao cristianismo?

4a. Meditar na Palavra de Deus dia e noite.

4b. Ao controlar seus pensamentos.

5a. Nossa natureza sensual. Os impulsos da nossa carne, os pensamentos da nossa mente carnal.

5b. Para nos assegurarmos de que não estamos pensando coisas erradas.

6a. Ele, literalmente, superou o problema ao escolher lembrar-se dos bons tempos do passado, considerando os feitos de Deus e as obras das mãos do Senhor. Em outras palavras, ele pensou em algo bom, e isso o ajudou a vencer a depressão.

6b. É o poder do Espírito Santo trabalhando por meio da Palavra de Deus, que traz vitória em nossa vida. Mas uma grande parte da obra que necessita ser feita depende de alinharmos nossos pensamentos com Deus e com Sua Palavra. Se nos recusamos a fazer isso ou pensamos que não é algo importante, nunca experimentaremos a vitória.

7a. Para que possamos experimentar a boa, agradável e perfeita vontade de Deus, aquilo que é bom, aceitável e perfeito aos Seus olhos para nós.

7b. Nossa mente deve ser renovada de acordo com a forma de Deus pensar.

8a. Porque nossos pensamentos afetam nossas atitudes e nossa disposição.

8b. Ao enganá-las fazendo-as pensar que a fonte da sua infelicidade ou problema é algo diferente daquilo que realmente é. Ele quer que as pessoas pensem que são infelizes por causa do que está acontecendo ao redor delas (suas circunstâncias), mas a infelicidade se deve realmente ao que está ocorrendo dentro delas (seus pensamentos).

8c. Isso pode ajudar-me a localizar alguns dos meus problemas e a encontrar o caminho da liberdade mais rapidamente.

**Parte 2: Introdução**

1a. "Os pensamentos (sentimentos e propósitos) do seu coração."

1b. Uma mente crítica, julgadora e desconfiada.

2. Não. Ela tem de ser renovada.

3. Não. Como filhos de Deus, é nosso privilégio lançar todos os nossos cuidados sobre Deus.

**Capítulo 8**

1a. A mente.

1b. A mente e o espírito trabalhando juntos.

2a. O Espírito Santo conhece a mente de Deus. Assim como o espírito dentro de uma pessoa é o único que conhece seus pensamentos, o Espírito de Deus é o único que conhece a mente de Deus.

2b. Para nos dar a conhecer a sabedoria e a revelação de Deus.

2c. Essa sabedoria e revelação são transferidas ao nosso espírito, e nosso espírito, então, ilumina os olhos do nosso coração, o qual é a nossa mente.

2d. Para que possamos entender num nível prático o que está sendo ministrado a nós espiritualmente.

2e. Porque o natural nem sempre compreende o espiritual.

3. Num sussurro tranqüilo e suave.

4. Tanto com seu espírito quanto com sua mente.

5. O espírito está falando alguma coisa e a mente está recebendo o entendimento.

6a. Assim a mente não poderá estar livre e disponível para o Espírito Santo operar por intermédio do nosso próprio espírito humano.

6b. Tanto tranqüila (pacífica) quanto alerta.

**Capítulo 9**

1a. Um ataque mental do diabo.

1b. Uma vida indisciplinada de pensamentos, deficiência de vitaminas e fadiga extrema.

1c. Falta de compreensão indica falta de entendimento; falta de concentração indica incapacidade de fixar-se em algo que se está fazendo..

2a. Não perca seu equilíbrio, ou não saia dos trilhos. Esse é um alerta contra uma mente divagante.

2b. Dê sua resposta.

2c. Ao discipliná-la e mantê-la atenta ao que estou fazendo.

3a. Isso deixa uma pessoa em indecisão, e a indecisão causa confusão. Divagação, indecisão e confusão impedem que um indivíduo receba de Deus, pela fé, a resposta à sua oração ou necessidade.

3b. Crer.

**Capítulo 10**

1. Eles nos impedem de receber o que precisamos de Deus.

2a. Por causa do questionamento e da racionalização.

2b. Tentar imaginar o "porquê" por trás de tudo.

2c. Se o que Ele nos direciona a fazer não faz sentido, somos tentados a desconsiderar isso.

3a. Obediência no espírito.

3b. Dê sua resposta.

4. Devemos nos mobilizar, e não racionalizar.

5a. Podemos racionalizar e imaginar algo que faz sentido para nós, mas o que temos pensado estar correto pode, ainda assim, estar errado.

5b. A mente humana gosta da lógica, da ordem e da razão. Isso nos leva a escolher o que é confortável, mas pode estar totalmente errado.

5c. Isso trazia um testemunho em seu espírito.

6a. Ele resolveu não se apoiar em filosofia ou sabedoria humana, mas somente em Jesus Cristo crucificado.

6b. Racionalização excessiva não é normal para o cristão que pretende ser vitorioso, para o crente que pretende vencer a guerra que é travada na mente.

**Capítulo 11**

1. A dúvida leva uma pessoa a oscilar entre duas opiniões; já a incredulidade a leva à desobediência.

2a. Ao nos atacar com a dúvida.

2b. Então nós podemos reconhecer que o diabo está mentindo para nós.

3a. Ele continuou firme, louvando e glorificando a Deus.

3b. A dúvida e a incredulidade. Ambas trabalham contra a mente.

3c. Satanás não quer que nossa mente esteja em concordância com nosso espírito.

3d. Ele sabe que se Deus colocar fé em nós para fazermos algo, e, se formos confiantes e começamos consistentemente a crer que podemos realmente fazê-lo, então causaremos um prejuízo considerável ao reino do mal.

4a. Tanto enfrentando quanto reconhecendo circunstâncias que pareciam impossíveis. Diferentemente de Abraão, contudo, Pedro permitiu que a dúvida e a incredulidade o pressionassem, e ao fazê-lo ele começou a afundar.

4b. Cingindo o cinturão da verdade.

4c. Para me intimidar.

4d. Ao lembrar-me de que a mente é o campo de batalha e ao tomar decisões confiando em meu espírito, e não em pensamentos ou sentimentos.

5. Dê sua resposta.

6. Escolha. A semente da fé foi plantada em nosso coração por Deus. A dúvida é a tática de guerra do diabo contra nossa mente. Nós escolhemos duvidar ou continuar crendo!

7. Isso nos impedirá de fazer o que Deus nos chamou e ungiu para realizarmos na vida. Isso também nos impedirá de experimentar o sentimento de paz que Ele quer que desfrutemos ao encontrarmos nEle descanso para nossa alma.

8a. No descanso de Deus.

8b. Descanso sabático.

8c. Sob a Antiga Aliança, o sábado era um dia de repouso. Sob a Nova Aliança, a ênfase está no descanso espiritual.

8d. Por meio da fé.

8e. Por meio da incredulidade e da desobediência.

9a. De fé em fé.

9b. Na incredulidade.

9c. Devemos evitar o ânimo dobre (ter uma mente vacilante e vivendo em dúvida).

9d. "[...] refutar argumentos, teorias e racionalizações e todo o orgulho e altivez que se levantem contra o [verdadeiro] conhecimento de Deus; levando cativo todo pensamento [e propósito] à obediência de Cristo (o Messias, o Ungido)."

## Capítulo 12

1a. São ataques à mente que pretendem nos desviar de servir ao Senhor.

1b. É fruto do Espírito.

1c. Permanecendo na videira.

2a. De tão alta qualidade que a desfrutemos imensamente.

2b. Para roubar esse tipo de vida.

3. Que não há nada na vida com o que devemos nos preocupar. Somos valiosos para Deus. A preocupação é inútil. Deus cuidará de nós e proverá tudo de que precisamos.

4. As coisas erradas finalmente acabarão saindo da nossa boca.

5. A Deus.

6. Devemos usar o tempo que Deus nos deu para aquilo que Ele planejou.

7. Uma espada guardada na bainha não tem qualquer utilidade durante o ataque. Deus nos deu Sua Palavra, mas precisamos usá-la!

8. A palavra que sai da boca de um crente, com fé para respaldá-la.

9a. Uma pessoa que se preocupa pensa que, de alguma maneira, ainda pode resolver seus próprios problemas. O homem orgulhoso é cheio de si mesmo, enquanto o humilde é cheio de Deus. O orgulhoso se preocupa; o humilde espera.

9b. É nos apoiarmos em Deus e entrarmos em Seu descanso.

10a. É permanecermos em Jesus e entrarmos no descanso de Deus.

10b. A paz de Deus é uma paz espiritual e Seu descanso opera em meio à tempestade, e não na ausência dela. Jesus não veio remover toda oposição de nossa vida, mas nos dar um enfoque diferente diante das tempestades da vida.

10c. Porque isso prova que os caminhos dEle funcionam.

11a. Que não precisamos ter nossa mente no dinheiro, imaginando como cuidaremos de nós mesmos, porque Ele cuidará dessas coisas para nós. Deus nunca falhará nem nos abandonará.

11b. Não se preocupe. "Confia (inclina-te sobre, acredita, tem confiança) no Senhor, e faze o bem; [então] habita na terra e alimenta-te da verdade [e serás verdadeiramente alimentado]" (Salmos 37.30).

## Capítulo 13

1a. Condenar ou sentenciar.

1b. Deus é o único que tem o direito de condenar ou sentenciar; portanto, quando julgamos os outros, estamos, em certo sentido, colocando-nos como Deus na vida deles.

2a. O orgulho.

2b. Deus nos dá graça para isso.

3. Devemos ter um "temor santo" que nos impeça de nos orgulharmos e sermos bastante cuidadosos para não julgarmos os outros ou criticá-los.

4a. Ele é capaz de nos sustentar e justificar.

4b. Não, nem sempre conseguimos deixar de ter opiniões, mas não precisamos expressá-las.

4c. Isso se torna explosivo e tem a habilidade de causar um grande prejuízo tanto na área de relacionamentos quanto na área espiritual.

4d. Ao mudar a mente.

5. Podemos semear e colher uma atitude, assim como numa plantação ou num investimento.

6a. Dessa forma, nunca veremos ou lidaremos com aquilo que está errado conosco.

6b. Não podemos mudar os outros; somente Deus pode. Também não podemos mudar a nós mesmos, mas podemos cooperar com o Espírito Santo e permitir que Ele faça a obra.

7. Quando julgamos ou criticamos, tomamos algo santo (o amor) e lançamos aos cães e porcos (espíritos demoníacos).

8a. Damos desculpas para nosso próprio comportamento, mas, quando alguma outra pessoa faz a mesma coisa que fazemos, agimos freqüentemente sem misericórdia.

8b. Pensando sobre o que está errado com um indivíduo em vez de pensar naquilo que está certo.

9. Julgamento e crítica.

10a. Uma atitude equilibrada.

10b. Usar sabedoria e discernimento ao lidar com os outros, sem olhar para alguém com olhos negativos e suspeitos, sempre desconfiando de que se aproveitarão de nós.

11a. Ele não suspeitava dos outros, mas, conhecendo a natureza humana, Ele não se confiava a eles de forma desequilibrada.

11b. Se ultrapassarmos o limite da sabedoria, os problemas virão e seremos feridos.

11c. Abrimos a porta para o Espírito Santo nos deixar saber quando estamos cruzando a linha de equilíbrio.

11d. A desconfiança vem de uma mente não renovada; o discernimento vem de um espírito renovado.

11e. Orar, não fofocar.

12a. Eles afetam nosso homem interior, nossa saúde, nossa alegria e nossa atitude.

12b. Descobriremos numa nova forma de viver.

## Capítulo 14

1a. É o oposto da atividade. Esse é um problema perigoso porque a Palavra de Deus claramente ensina que devemos estar atentos, vigilantes e ativos, que devemos reacender a chama e reavivar o dom que há em nós.

1b. Ele sabe que isso trará aos crentes a derrota completa.

1c. Ao se mover contra ele, usando a sua vontade para resistir aos ataques demoníacos.

2a. Uma mente vazia e passiva, pode facilmente encher-se com todo tipo de pensamentos errados.

2b. O espaço vazio deve ser preenchido com uma forma de pensar correta.

3a. Não mudaremos nosso comportamento sem mudar nossos pensamentos. Pensamentos certos vêm em primeiro lugar e as ações corretas os acompanham. Ações corretas ou comportamento correto resultam de pensamentos corretos.

3b. Permanecer na videira.

3c. Ser obediente.

3d. Ela deve ser constantemente renovada no espírito do seu entendimento, tendo uma nova atitude mental e espiritual. Para fazer isso, ela deve, primeiramente, mudar seus pensamentos, ativando sua mente e alinhando-a com a Palavra e a vontade de Deus.

3e. O caminho para a ação pecaminosa é preparado por meio de pensamentos pecaminosos.

4. Devo ser ativo, e não passivo. A ação certa começa com pensamentos certos. Não devo ser passivo em minha mente. Isso começa quando escolho pensamentos certos.

## Capítulo 15

1. Porque nós temos a mente de Cristo, um novo coração e um novo espírito.

2a. Ele sabia que nós necessitaríamos deles para observar Suas ordenanças e caminhar em Seus estatutos.

2b. Morte é resultado de seguir a mente da carne. Vida é resultado de seguir a mente do Espírito.

2c. Ter pensamentos positivos.

2d. Perspectiva e atitude positivas.

2e. Não estamos operando com a mente de Cristo.

2f. "Abater-se no espírito. ENTRISTECER".[1] Regularmente temos a oportunidade de pensar negativamente, mas isso apenas nos afundará ainda mais.

3a.: • Identificar a natureza e a causa do problema.

• Reconhecer que a depressão rouba a vida e a luz.

• Lembrar-se dos bons tempos.

• Louvar a Deus em meio ao problema.

• Pedir a ajuda de Deus.

• Ouvir ao Senhor.

• Orar por livramento.

• Buscar a sabedoria, o conhecimento e a orientação de Deus.

3b. "Habito na escuridão como aqueles que morreram há muito."

4a. Para atrair milhões para o abismo de trevas e desespero.

4b. Vêm de pensamentos negativos.

4c. Ter a mente de Deus.

5a. Meditar em Deus, em Seus caminhos e em Suas obras.

5b. Esta é a forma mais segura para começar a desfrutar da vida.

6a. Nossos próprios pensamentos.

6b. Enchendo nossa mente com pensamentos sobre o Senhor.

6c. Ter em mente que "Deus me ama".

7a. Ao meditar nesse amor.

7b. Um "conhecimento consciente" do amor de Deus.

8. Uma consciência de retidão.

9a. Pensamentos de culpa e condenação são desperdício de tempo e transformam-se em ações.

9b. Repreender o diabo e seguir adiante pensando da forma correta.

9c. Ter uma mente exortativa.

10a. Dizer algo encorajador e edificante, algo que faça os outros se sentirem bem, e encorajá-los a prosseguir.

10b. Eu os verei comportando-se de maneira mais amorosa.

10c. Elas anulam o que pediram com seus próprios pensamentos ou palavras, antes que Deus tenha a chance de trabalhar em seu favor.

10d. Desenvolver uma mente agradecida.

11. Notará que seus pensamentos estão cheios de louvor e gratidão.

12a. Ao deixar Seu louvor estar continuamente em nossos pensamentos e em nossos lábios.

12b. Isso não é bom apenas para a outra pessoa, mas para nós mesmos, porque libera alegria em nós.

13a. Ao falar a nós mesmos (por meio dos nossos pensamentos) ou aos outros (por meio da nossa palavras) em salmos, hinos e cânticos espirituais. Em outras palavras, mantendo nossos pensamentos e palavras na Palavra de Deus e sendo cheios dela, louvando sempre e dando graças por tudo.

13b. Ter uma mente cheia da Palavra.

14a. Uma expressão escrita dos seus pensamentos, como Ele pensa sobre cada situação e sobre cada assunto.

14b. Assim as pessoas poderiam crer e experimentar todos os bons resultados dela.

14c. Ao meditarmos nela.

15. Primeiramente praticando-a mentalmente.

16. Saúde; cura.

17. Quanto mais tempo nos dispormos pessoalmente a meditar sobre a Palavra e estudá-la, mais proveito extrairemos dela.

18. Da prática de meditar na Palavra.

19. Ao atentar para ela, tendo-a em nossa mente mais do que qualquer outra coisa.

20. Levo cada pensamento cativo à obediência de Jesus Cristo.

## Parte 3: Introdução

1. Porque eles tinham uma "mentalidade de deserto".

2a. A maioria de nós faz a mesma coisa que eles fizeram. Nós nos mantemos rodeando a mesma montanha repetidamente em vez de progredirmos. O resultado é que levamos anos para experimentar a vitória sobre algo com o qual poderíamos e deveríamos ter lidado rapidamente.

2b. Que eles tinham ficado muito tempo naquele; era hora de continuar.

3a. Uma mentalidade (padrão de pensamento) errada.

3b. Fixando nossa mente e mantendo-a fixa nas coisas do alto.

3c. Mentalidades (padrões de pensamentos) erradas não somente afetam nossas circunstâncias, mas também afetam nossa vida interior.

## Capítulo 16

1. Eles não tinham uma visão positiva, nenhum sonho para a vida deles. Eles sabiam de onde tinham vindo, mas não sabiam para onde estavam indo. Tudo era baseado no que eles tinham visto e podiam ver. Eles não sabiam como ver com os olhos da fé.

2. Meu futuro não é determinado pelo meu passado ou pelo meu presente!

3. Não. Devemos ter olhos espirituais para ver e ouvidos espirituais para ouvir. Precisamos ouvir o que o Espírito diz, e não o que o mundo diz.

4. Eles tinham uma atitude negativa e queixosa. Eles estavam prontos a desistir facilmente, preferindo voltar para a escravidão em vez de prosseguir pelo deserto em direção à terra prometida.

5. Eram fruto de maus pensamentos.

6. A falta de gratidão.

7. Ele sabia que Deus cuidaria dele se agisse adequadamente.

8a. O diabo não conseguiu impedir que ele recebesse as bênçãos de Deus. Deus lhe deu mais possessões do que ele tinha antes da separação e o abençoou poderosamente de várias maneiras.

8b. De forma positiva, de acordo com o que Deus tem colocado em meu coração, e não de acordo com o que vi no passado ou estou vendo até mesmo no presente.

## Capítulo 17

1a. Como nossa resposta à habilidade de Deus.

1b. Responder às oportunidades que Deus coloca à nossa frente.

1c. Em vez de seguir todo o caminho para Canaã com o Senhor, ele escolheu parar e estabelecer-se em Harã.

1d. Quando Deus fala e nos dá uma oportunidade para fazer algo, muitas vezes, como Terá, nunca terminamos o que começamos. Iniciamos e percebemos que há mais coisas envolvidas do que arrepios e entusiasmo.

2a. Eles não queriam assumir a responsabilidade por nada. Moisés o fazia por eles. Ele orava; buscava a Deus por eles; até mesmo se arrependia quando eles é que tinham cometido erros.

2b. Aprender a aceitar a responsabilidade.

3. Sabermos que Deus vê todas as coisas e que nossa recompensa virá dEle se persistirmos em fazer o que Ele nos pediu.

4. Muitos são chamados ou têm a oportunidade para fazer algo para o Senhor, mas poucos desejam assumir a responsabilidade para responder a esse chamado.

5. Jamais teremos o privilégio de permanecer e ministrar sob a unção de Deus.

6a. Eu edificarei minha força.

6b. Permanecerei fraco.

7. Vigiar, manter estrita atenção, ser cauteloso e ativo.

8a. Fazer tudo que eu puder com tais habilidades. Assim, quando o Senhor retornar, não somente Lhe devolverei o que Ele me entregou, mas muito mais.

8b. É a vontade de Deus que produzamos bons frutos.

9a. Não ter medo da responsabilidade, lançando ao Senhor nossos cuidados, mas não transferindo nossas responsabilidades.

9b. Há uma responsabilidade que vem juntamente com a bênção.

9c. Sabedoria; emoções.

9d. Seja responsável!

## Capítulo 18

1. Porque Ele nos dá o Seu Espírito para trabalhar em nós poderosamente e nos ajudar em tudo que Ele nos pede para fazer.

2a. Quando estamos tentando fazê-las sozinhos, sem nos apoiarmos e confiarmos na graça de Deus.

2b. Nem mesmo precisaríamos do poder do Espírito Santo para nos ajudar.

2c. Para nos ajudar, para nos capacitar a fazer o que não poderíamos fazer; para fazer com facilidade o que seria difícil fazer sem Ele.

3a. Passar mais tempo com Deus, descansar mais nEle e receber mais graça dEle.

3b. Eles ainda eram covardes, e Deus precisava fazer uma obra na vida deles para prepará-los para as batalhas que eles enfrentariam na terra prometida.

3c. Não. Após atravessarem o Jordão e entrarem para possuir a terra prometida, ainda enfrentariam várias batalhas.

3d. Ele sabia que eles não estavam prontos para as batalhas que enfrentariam na posse da terra. Ele os levou por um caminho mais difícil para ensinar-lhes quem Ele era e que eles não poderiam depender de si mesmos.

4a. Se nós persistirmos, finalmente colheremos.

4b. Jesus extraiu força do Seu Pai celestial e saiu-se vitorioso.

5. Pense sobre tudo que Jesus passou e como Ele suportou o sofrimento em Sua carne, e isso o ajudará a enfrentar suas próprias dificuldades. Arme-se para a batalha; prepare-se para vencer ao pensar como Jesus agiu.

6a. O pensamento certo nos arma para a batalha.

6b. Ter uma nova mentalidade que diz: "Tudo posso naquele que me fortalece". (Filipenses 4.13.)

## Capítulo 19

1. Uma boa atitude durante o sofrimento que agrada a Deus e Lhe traz glória.

2. Gloriosamente! Silenciosamente, sem reclamar, confiando em Deus, independentemente de como as coisas parecessem. Ele permaneceu o mesmo em cada situação. Ele não reagiu pacientemente apenas quando as coisas pareciam fáceis e impacientemente quando elas eram difíceis ou injustas.

3. O que nós lhes mostramos com nosso comportamento.

4. Ele nunca reclamou e manteve uma atitude correta durante o sofrimento.

5a. Ele não se queixava de forma alguma, e tudo o que eles faziam era lamentar-se sobre cada pequena coisa que não acontecia do jeito que desejavam.

5b. A murmuração dos israelitas abriu uma porta para o inimigo entrar e destruí-los.

5c. Os israelitas queixaram-se e permaneceram no deserto. Jesus louvou e foi ressuscitado dos mortos.

5d. O poder do louvor e das ações de graças, bem como o poder da queixa e da murmuração.

6. Para nos tornarmos irrepreensíveis e sinceros, inocentes e incontaminados, como filhos de Deus, inculpáveis (sem defeito) em meio a uma geração pervertida e corrupta [espiritualmente pervertida e perversa], no meio da qual nós resplandecemos como luzeiros (estrelas ou faróis brilhando claramente) num mundo em trevas.

7a. Orar com ações de graças em todas as circunstâncias.

7b. Quando algo não ocorre como queríamos ou alguém não age como desejamos, ou quando temos de esperar por algo por mais tempo do que o previsto.

7c. Sermos pacientes nesses momentos.

7d. É a habilidade de manter uma boa atitude enquanto esperamos.

7e. Tirando o máximo proveito da mente de Cristo que está dentro de mim.

**Capítulo 20**

1a. Do orgulho.

1b. Esperar é parte da vida. Realmente passamos mais tempo de nossa vida esperando do que recebendo.

1c. Desfrutar o lugar onde estamos enquanto prosseguimos no caminho para onde estamos indo!

2a. A pessoa orgulhosa pensa tão altivamente sobre si mesma que acredita que nunca deveria ser contrariada em nada.

2b. Uma atitude de impaciência.

3a. Estamos nos estabelecendo para uma queda. Satanás está preparando uma queda para nós pela nossa forma errada de pensar.

3b. Permanecendo no amor de Deus e demonstrando o fruto do Espírito.

4a. Uma atitude incansável e resignada, que tem o poder de suportar tudo o que vem, com um bom temperamento.

4b. Para nos lembrarmos do tipo de comportamento que deveríamos demonstrar em todas as situações.

5a. É fruto do Espírito.

5b. Por meio de várias provações.

6a. Por causa das provações.

6b. Viverei uma qualidade de vida que não é apenas suportada, mas desfrutada em plenitude.

7a. Paciência, perseverança.

7b. Fé, paciência.

8a. Eles estão ocupados tentando fazer alguma coisa acontecer em vez de esperar pacientemente que Deus faça com que as coisas aconteçam no Seu próprio tempo e à Sua própria maneira.

8b. Ele quer nos fazer mover com zelo carnal porque ele sabe que a carne não traz benefício algum.

8c. A humildade.

9a. Isso não significa pensar mal de si mesmo. Simplesmente significa: "Não pense que você pode resolver todos os seus problemas sozinho".

9b. A "morte para o eu" ocorre. Começamos a morrer para nossos próprios caminhos e nosso próprio tempo, e nos tornamos alinhados com a vontade e o caminho de Deus para nós.

9c. Começar a dizer: "Senhor, quero a Tua vontade no Teu tempo. Não quero estar na Tua frente, nem quero estar atrás de Ti. Ajude-me, Pai, a esperar pacientemente em Ti"!

## Capítulo 21

1. A relutância em assumir a responsabilidade por suas próprias ações, culpando a tudo e a todos.

2a. Dê sua resposta.

2b. A verdade nos libertará, e ele sabe disso!

2c. É doloroso.

3. Dê sua resposta.

4a. Satanás. Mantendo os olhos em Deus, e não nos problemas em potencial.

4b. Pensar que essas coisas são maiores do que Deus.

5. Se quisermos receber as bênçãos de Deus, devemos ser honestos com Ele sobre nós mesmos e sobre nossos pecados.

6a. Enfrentar e reconhecer a verdade sobre o que temos feito.

6b. Somente em Jesus Cristo.

6c. Somente pelo sangue de Jesus, não por nossas desculpas.

7a. A verdade. A verdade é luz, e a Bíblia diz que as trevas nunca prevaleceram sobre a luz e nem prevalecerão.

7b. Pelo Espírito Santo.

8a. O Espírito Santo.

8b. Para nos ajudar a enfrentar a verdade, levando-nos ao lugar da verdade, porque somente a verdade nos libertará.

8c. "De maneira alguma te deixarei, nunca jamais te abandonarei."

8d. Desfrutar a terra prometida!

## Capítulo 22

1a. Eles se sentiam grande pena de si mesmos. Todas as dificuldades tornavam-se novas desculpas para se afundarem na autopiedade.

1b. Você pode ser vítima ou vitorioso, mas não pode ser as duas coisas ao mesmo tempo.

1c. Não podemos acolher os demônios da autopiedade e também caminhar no poder de Deus!

2a. Ele designa um demônio para sussurrar mentiras aos nossos ouvidos sobre como fomos tratados cruel e injustamente.

2b. Rapidamente perceberá como o inimigo usa a autopiedade para nos manter em escravidão.

2c. Porque tomamos algo que Deus planejou que fosse dado aos outros e usamos para nosso próprio benefício.

2d. Isso se torna egoísmo e egocentrismo, o que realmente nos destrói.

2e. Trata-se de idolatria. Isso apenas nos torna conscientes do nosso próprio "eu" e de nossas próprias necessidades e interesses, e é uma maneira mesquinha de viver.

3a. Ao olhar para o lado de outra pessoa e não apenas para nosso próprio interesse.

3b. Ao pensarmos apenas em nós e em ninguém mais.

3c. Se não formos cuidadosos, realmente nos tornaremos viciados nisso.

3d. Ele pode se "reapontar".

4. Orar: "Senhor Deus, ajude-me a passar nesse teste. Não quero rodear essa mesma montanha novamente"!

## Capítulo 23

1a. "Culpa... desgraça: vergonha."[1]

1b. Desgraça, que é outro significado para "opróbrio".

1c. Cada um de nós deve receber por si mesmo o perdão que Ele oferece por todos nossos pecados do passado.

1d. Porque somos co-herdeiros com Cristo. Ele as ganhou, e nós as recebemos ao colocar nossa fé nEle.

2a. Dê sua resposta.

2b. Um herdeiro é alguém que recebe algum bem, mas não por mérito, como quando uma propriedade passa de uma pessoa para outra por meio de um testamento. Um servo ou trabalhador, no sentido bíblico, é aquele que está cansado de tentar seguir a lei. O termo revela trabalhos penosos e problemas.

2c. Devemos merecer tudo o que conseguimos.

2d. Quando rompemos com o mundo, o seu opróbrio ainda permanece em nós e, definitivamente, precisa ser removido.

3a. Uma opinião negativa a seu próprio respeito.

3b. Ele enche nossa mente se receber permissão com todo tipo de pensamentos negativos sobre nós mesmos. Ele começa cedo construindo fortalezas na mente, e muitas delas são coisas negativas sobre você ou sobre como as outras pessoas se sentem em relação a você. Ele sempre prepara algumas situações nas quais você experimenta a rejeição e, assim, pode trazer o sofrimento dessa situação novamente durante um momento em que você estiver tentando fazer algum progresso.

3c. Isso pode passar de um pai para seus filhos.

3d. Se eu estiver desejoso de recebê-la. Aos que colocam sua fé e confiança nEle.

4a. Fé.

4b. Boas obras; comprar.

5. Devemos saber que somos amados, especiais, valiosos e que devemos ser santos, irrepreensíveis e inculpáveis.

6a. Receber de Deus sem nos sentirmos envergonhados.

6b. Não olhar quão distante estou do meu alvo, mas quanto já avancei. Considerar meu progresso e lembrar-me de Filipenses 1.6.

6c. "Estou plenamente certo de que aquele que começou a boa obra em vós há de completá-la até o dia de Cristo Jesus."

6d. Positivamente!

## Capítulo 24

1. Uma mentalidade do deserto

2a. De forma insensível e grosseira, até mesmo brutal, às vezes.

2b. A *inveja* é "o sentimento de descontentamento produzido ao se testemunhar ou ouvir sobre a vantagem ou a prosperidade de outros".[1] O *ciúme* é "o sentimento de inveja, apreensão ou amargura";[2] o medo de perder o que se tem para outro; ressentimento do sucesso de outros que nasce do sentimento de inveja.

3. Jesus ensinou coisas como (paráfrase da autora): "Muitos que são os primeiros serão os últimos, e os últimos serão os primeiros" (Marcos 10.31); "Regozijem-se com os que são abençoados"

(Lucas 15.6-9); "Orem por seus inimigos e abençoem aqueles que vos maltratam" (Mateus 5.44). O mundo diria que isso é tolice, mas Jesus diz que se trata de poder verdadeiro.

4a. Vem de Deus, e não do homem.

4b. Fizermos as coisas à maneira de Deus.

5a. Falar comigo mesmo durante um tempo. Dizer a mim mesmo: "Que proveito terei ao sentir ciúme dos outros? Isso não me tornará abençoado. Deus tem um plano pessoal para cada um de nós, e vou confiar nEle para fazer o melhor por mim. Não é da minha conta o que Ele decide fazer por outras pessoas". Em seguida, determinada e deliberadamente, devo orar para que tais pessoas sejam mais abençoadas.

5b. "Meteoros" surgem rapidamente e chamam bastante a atenção, mas geralmente ficam em evidência por um curto período. Na maioria das vezes, caem tão rapidamente quanto surgem.

5c. Obter uma nova mentalidade. Propor em minha mente ser feliz pelos outros e confiar em Deus com relação a mim mesmo. Isso exige tempo e persistência, mas, quando essa velha fortaleza mental for derrubada e substituída pela Palavra de Deus, estarei no caminho de saída do deserto e entrando na terra prometida.

**Capítulo 25**

1a. Teimosia e rebeldia.

1b. Que desistamos do nosso próprio jeito de fazer as coisas e sejamos flexíveis e moldáveis nas mãos de Deus. Enquanto formos teimosos e rebeldes, Ele não poderá nos usar.

1c. A "teimosia" é descrita como obstinação, uma dificuldade de ser tratado ou trabalhado; e "rebeldia", como resistência ao controle, resistência à correção, ingovernável, que se recusa a seguir normas comuns. (Dê sua própria resposta.)

1d. Devemos ser obedientes em tudo, não reter nada ou manter quaisquer portas de nossa vida fechadas ao Senhor.

2a. Por causa de sua teimosia e rebeldia.

2b. Sem obediência, não há respeito e reverência apropriados.

2c. A resposta é simples: é possível ter algo e não usá-lo. Nós temos a mente de Cristo, mas sempre a usamos? Jesus se fez sabedoria de Deus por nós, mas sempre usamos a sabedoria? Salomão queria agir de seu próprio jeito.

3a. Nossa decisão de obedecer a Deus afeta outras pessoas, e quando decidimos desobedecer isso também as afeta. Podemos desobedecer a Deus e escolher permanecer no deserto, mas é bom nos lembrarmos de que se temos ou teremos filhos; nossa decisão também os fará permanecer no deserto conosco. Eles podem até conseguir sair quando crescerem, mas pagarão um preço pela nossa desobediência.

3b. Ela fecha as portas do inferno e abre as janelas do céu.

4a. Escolher examinar nossos pensamentos à luz da Palavra de Deus, sempre desejando submeter nossos pensamentos aos pensamentos de Deus, sabendo que os pensamentos dEle são os melhores.

4b. Lançar fora meus pensamentos e pensar conforme Deus pensa.

4c. A mente!

4d. Ajudando a lançar fora conceitos e toda altivez que se exalta contra o conhecimento de Deus, levando cada pensamento cativo à obediência de Jesus Cristo.

## Reflexão pessoal

1. (Dê sua resposta.)
2. (Dê sua resposta.)
3. (Dê sua resposta.)

# Notas finais

## Capítulo 15

[1] DEPRESS (deprimir). *In*: WEBSTER'S II new riverside university dictionary. Boston: Houghton Mifflin Company, 1984.

## Capítulo 23

[1] REPROACH (opróbrio). *In*: WEBSTER II.

## Capítulo 24

[1] VINE, W. E. *Vine's expository dictionary of old and new testament words.* Old Tappan: Fleming H. Revell, 1940, v. II; E-Li, p. 37.

[2] JEALOUSLY (ciúme). *In*: WEBSTER II.

## Sobre a Autora

Joyce Meyer é uma das líderes no ensino prático da Bíblia no mundo. Renomada autora de bestsellers pelo *New York Times*, seus livros ajudaram milhões de pessoas a acharem esperança e restauração através de Jesus Cristo.

Através dos *Ministérios Joyce Meyer*, ela ensina sobre centenas de assuntos, é autora de mais de 80 livros e conduz aproximadamente 15 conferências por ano. Até hoje, mais de 12 milhões de seus livros foram distribuídos mundialmente, e em 2007 mais de 3.2 milhões de cópias foram vendidas. Joyce também tem um programa de TV e de radio, *Desfrutando a Vida Diária*®, o qual é transmitido mundialmente para uma audiência potencial de 3 bilhões de pessoas. Acesse seus programas a qualquer hora no site www.joycemeyer.com.br

Tendo sofrido abuso sexual quando criança e a dor de um primeiro casamento emocionalmente abusivo, Joyce descobriu a liberdade de viver vitoriosamente aplicando a Palavra de Deus à sua vida, e deseja ajudar que os outros façam o mesmo. Desde sua batalha com câncer no seio até as lutas da vida diária, ela fala aberta e praticamente sobre sua experiência de modo que outros possam aplicar o que ela aprendeu às suas vidas.

Durante os anos, Deus proveu a Joyce com muitas oportunidades de compartilhar o seu testemunho e a mensagem de mudança de vida do Evangelho. De fato, a revista *Time* a selecionou como uma das mais influentes líderes evangélicas na America. Ela é um incrível testemunho do dinâmico e restaurador trabalho de Jesus Cristo. Ela crê e ensina que, independente do passado da pessoa ou dos erros cometidos no passado, Deus tem um lugar para elas, e pode ajudá-las em seus caminhos para desfrutarem a vida diária.

Joyce tem um merecido PhD em teologia obtido da Universidade Life Christian em Tampa, Florida; um honorário doutorado em divindade da Universidade Oral Roberts University em Tulsa, Oklahoma; e um honorário doutorado em teologia sacra da Universidade Grand Canyon em Phoenix, Arizona. Joyce e seu marido, Dave, são casados há mais de quarenta anos e são pais de quarto filhos adultos. Dave e Joyce Meyer vivem atualmente em St. Louis, Missouri.

CONFIRA NOSSAS PROMOÇÕES